HEYNE <

W0005182

DAS NEUE GROSSE WEIGHT WATCHERS KOCHBUCH NR. 2

Über 200 Rezepte und Tipps

WILHELM HEYNE VERLAG
MÜNCHEN

HEYNE KOCHBUCH
07/4758

Mehr Informationen unter:
Weight Watchers (Deutschland) GmbH

Telefon: 0 18 02 / 23 45 64 (€ 0,06 pro Gespräch)
www.weightwatchers.de

Weight Watchers (Switzerland) SA

Telefon: 09 00 / 57 05 06 (Fr. 0,36 pro Minute)
www.weightwatchers.ch

Umwelthinweis:
Dieses Buch wurde auf chlor- und säurefreiem Papier gedruckt.

3. Auflage

Originalausgabe 11/2003
Copyright © 2003 by Wilhelm Heyne Verlag, München,
in der Verlagsgruppe Random House GmbH
All rights reserved. Weight Watchers is the registered trademark
of Weight Watchers International, Inc. and is used under license.
http://www.heyne.de
Printed in Germany 2004
Umschlaggestaltung: Eisele Grafik-Design, München
Umschlagbild: Stockfood/Antje Plewinski
Innenfotos: The Food Professionals Köhnen GmbH, Sprockhövel
Satz: Gramma GmbH, Germering
Druck und Bindung: GGP Media, Pößneck

ISBN 3-453-87128-6

INHALT

VORWORT 7

Herzlich willkommen bei *Weight Watchers* – Ihren Experten in Sachen Abnehmen

Das Ernährungskonzept *Points Plus* 7

Fitness, Wellness & Co. – mit *Weight Watchers* auf Erfolgskurs 9

Eine Woche mit *Points Plus* 12

SUPPEN, SALATE, SNACKS 17

KARTOFFELN, NUDELN, REIS 69

GEMÜSEGERICHTE 117

PIZZA, QUICHE, PIKANTE KUCHEN 171

FISCH, GEFLÜGEL, FLEISCH 191

SÜSSSPEISEN, DESSERTS, GEBÄCK 251

REZEPTREGISTER 275

REZEPTREGISTER NACH POINTS 283

Legende

Kreatives Kochen

Preiswert

Für die Familie

Schnell und einfach

VORWORT

Herzlich willkommen bei *Weight Watchers* – Ihren Experten in Sachen Abnehmen

Seit 1963 haben weltweit mehr als 30 Millionen Teilnehmer in über 30.000 *Weight Watchers* Treffen erfolgreich abgenommen. Heute ist *Weight Watchers* Ihr Experte in Sachen Gewichtsreduzierung und Gewichtserhaltung. Das Konzept wird ständig auf den neuesten Stand der Ernährungsforschung gebracht, damit gewährleistet ist, dass Sie sicher und gesund abnehmen.

Der Schlüssel zum Erfolg: Das *Weight Watchers* Treffen

Die *Weight Watchers* Treffen sind der Schlüssel zum erfolgreichen Abnehmen und zur Gewichtserhaltung. Teilnehmer können jederzeit starten, denn die Treffen sind »offene« Treffen. Von *Weight Watchers* ausgebildete Leiter vermitteln im Dialog mit den Teilnehmern das nötige Wissen, um erfolgreich abzunehmen. In den Treffen erhalten die Teilnehmer außerdem weiterführende Broschüren, Rezepte sowie Ernährungs- und Verhaltenstipps.

Das Fernprogramm: Bequem abnehmen von zu Hause

Wenn Ihr Terminkalender aus allen Nähten platzt und Sie nicht wissen, wo Sie die Zeit für die Treffen hernehmen sollen – warum nicht einfach von zu Hause aus abnehmen? Das *Weight Watchers* Fernprogramm versorgt Sie mit den gesamten Unterlagen. Ihre Fragen werden telefonisch von uns beantwortet.

Das Ernährungskonzept *Points Plus*

Points, Points, Points

Den Rezepten dieses Buches liegt das erfolgreichste *Weight Watchers* Konzept aller Zeiten zugrunde: *Points Plus*. Bei diesem System wird allem, was Sie essen und trinken, eine gewisse *Points*-Anzahl zugeordnet, die sich aus dem Kalorien- und Fettgehalt eines Lebensmittels errechnet. Hier einige Beispiele: Für die meisten Früchte und Gemüse müssen Sie sich gar keine *Points* anrechnen, eine unbegrenzte Menge an Kartoffeln pro Mahlzeit zählt lediglich 2 *Points*, ein Rosinenbrötchen hat 2 *Points*, ein Croissant dagegen 8,5 *Points*.

Je nach Körpergewicht und Geschlecht, also entsprechend Ihrem Grundumsatz, steht Ihnen täglich eine gewisse Anzahl von *Points* zur Verfügung. Wenn Sie z.B. eine Frau sind und 80 kg wiegen, haben Sie 20 *Points* pro Tag zur Verfügung. Ihren Vorlieben und Ihrem Tagesrhythmus gemäß können Sie sich beliebige Gerichte mit der entsprechenden *Points*-Zahl zusammenstellen. Flexibel wie nie, ohne Abwiegen und Abmessen, passt sich *Points Plus* Ihren Lebensumständen an.

Bewegung bringt *Bonus-Points*

Bewegung beschleunigt das Abnehmen, strafft die Haut und macht fit. Außerdem können Sie durch Bewegung zusätzliche *Points* sammeln, so genannte *Bonus-Points*. Dafür müssen Sie nicht täglich stundenlang im Fitnessstudio schwitzen, schon 15 Minuten Gartenarbeit, Staub saugen, schnelles Gehen, Heimwerken oder Spielen mit den Kindern reichen aus. Ihre verdienten *Bonus-Points* können Sie in einem gewissen Umfang für Essen und Trinken einsetzen, z.B. wenn Sie eingeladen sind oder einer Süßigkeit nicht widerstehen können.

Tätigkeit	15 Minuten	30 Minuten
Aqua-Aerobic	1,5	3
Bowling	1,5	3
Disco Dancing	1,5	3
Gartenarbeit	1	2
Hausarbeit (Putzen)	0,5	1
Inline Skaten	2	4
Joggen	2	4
Rad fahren (langsam)	1	2
Schwimmen	2	4
Spazieren gehen	1	2
Walking (schnelles Gehen)	2	4

Regelmäßiger Sport tut Ihnen beim Abnehmen selbstverständlich gut. Bevor Sie allerdings mit einem intensiven Bewegungstraining beginnen, raten wir Ihnen, sich von Ihrem Arzt untersuchen zu lassen. Er wird klären, ob gesundheitliche Gründe dagegen sprechen.

Fitness, Wellness & Co. – mit *Weight Watchers* auf Erfolgskurs

Weight Watchers bietet ein ganzheitliches Konzept, das auf eine langfristige Änderung der Ernährungs- und Lebensgewohnheiten abzielt. Die folgenden Tipps sollen Ihnen dabei helfen.

Spaß an der Bewegung

Manchmal sind es nur kleine Änderungen, die Erfolg versprechen …

Innere Einstellung

Positiv denken ist das Stichwort! Statt »Ich muss mich mehr bewegen«, sagen Sie sich lieber »Ich tue meinem Körper und mir etwas Gutes«.

Sportzeit

Sie haben keine Zeit für Sport? Das ist eine Frage der Prioritäten in Ihrem Leben. Setzen Sie sich feste Zeiten, zu denen Sie aktiv sind. Dann gibt es auch keine Ausreden.

Turn your radio on

Legen Sie Ihre Lieblingsmusik auf und lassen Sie sich vom Rhythmus mitreißen! Musik sorgt für gute Laune. So lassen sich kleine Anstrengungen besser wegstecken.

Doppelpack

Zusammen macht es mehr Spaß! Überzeugen Sie einen Freund oder eine Freundin mitzumachen und motivieren Sie sich gegenseitig. Hängen lassen gilt nicht!

Ganz relaxed – in 60 Sekunden

Stress, Ärger, Müdigkeit oder Kopfschmerzen und noch einen langen

Tag vor sich? Unsere Tipps helfen Ihnen, wieder fit zu werden, um mit neuer Motivation durchstarten zu können.

Stress ade!

Untersuchungen haben gezeigt, dass bestimmte Düfte Stressreaktionen abbauen. Schnuppern Sie an Lavendel (Lavendelkissen, Duftlampe) und lassen Sie Ihren Stress verduften!

Ohrenmassage

Ziehen Sie sich selbst die Ohren lang! Eine sanfte Massage der Ohrmuschel versorgt den Körper mit frischer Energie. Rollen Sie die Ohrmuschel mit Zeigefinger und Daumen hin und her.

Pfefferminze

Befeuchten Sie Stirn, Schläfen und Nacken mit etwas kaltem Wasser. Tragen Sie danach wenige Tropfen ätherisches Pfefferminzöl oder Minzgel auf. Massieren Sie die Stellen sanft und wedeln Sie sich anschließend frische Luft zu.

Powerfood Banane

Das gelbe Früchtchen liefert einen genialen Power-Mix aus Kohlenhydraten und nervenstärkenden Mineralstoffen. Alles für 1 *Point* zu haben.

Farben sind Vitamine für die Seele

Sorgen Sie für kleine Farbkleckse in Ihrem Leben, egal, ob in Ihrer Wohnung oder an Ihrem Arbeitsplatz. Ein bunter Blumenstrauß oder ein farbenprächtiges Bild verbreiten gute Laune. Gelb zum Beispiel ist die Farbe der Sonne, der Lebensfreude, des Optimismus. Gelb vertreibt kleine Tiefs, belebt den Geist und macht kreativ.

Unser besonderer Erfolgstipp: Der Kilo Kick

Wir haben viele unserer Teilnehmer befragt: »Welche Strategie hat Ihnen in einer Woche geholfen, in der Sie besonders gut abgenommen haben? Was haben Sie gegessen, verändert oder zusätzlich ausprobiert?« Die vielen fantastischen Ideen und Tipps präsentieren wir Ihnen als Kilo Kick.

Trinken Sie sich fit!

Viele Teilnehmer berichten, dass gerade regelmäßiges Trinken ihr Kilo Kick in einer Woche mit einem besonders guten Gewichtsverlust war. Planen Sie das Trinken bewusst in Ihren Alltag ein und nehmen Sie täglich mindestens 1,5 bis 2 Liter Flüssigkeit zu sich, am besten Wasser, Früchte- und Kräutertee, Fruchtsaftschorlen.

Der Fisch-Kilo Kick

Essen Sie dreimal pro Woche Fisch. Viele Teilnehmer behaupten, dass das Abnehmen damit besonders gut funktioniere. In jedem Fall ist es sehr gesund.

Lustvoll genießen!

Ein Kilo Kick, der Ihnen Abwechslung und neue Motivation verschafft: Genießen Sie bewusst und lustvoll – denn wer sich ein Genusserlebnis gönnt und dabei sein schlechtes Gewissen über Bord wirft, ist viel entspannter. Sie wissen, dass Sie ab und zu Ihre Lieblingsspeisen essen können und sind deswegen viel zufriedener. Sparen Sie *Points* und genießen Sie dafür ein anderes Mal ohne schlechtes Gewissen – kochen Sie sich zum Beispiel Ihr Lieblingsessen.

Bunter Teller

Probieren Sie neue Lebensmittel und Rezepte und bringen Sie Abwechslung auf Ihren Teller! Sie werden sehen, wie viel Spaß das macht! Starten Sie gleich mit den leckeren Rezepten aus diesem Buch.

Einladung? Kein Problem!

Auch wenn Sie abends eingeladen sind und unbeschwert genießen möchten, muss Ihre Figur nicht darunter leiden. Entscheidend ist, bis zum Beginn der Feier möglichst wenige *Points* zu verbrauchen. Dank der vielen 0-*Points*-Lebensmittel ist das gar kein Problem. Knabbern Sie über den Tag verteilt reichlich Obst und Gemüse, kochen Sie sich eine Gemüsesuppe und essen Sie dazu ein Brötchen für 2 *Points.* Trinken Sie außerdem viel – das mindert das Hungergefühl.

Das Treffen macht den Unterschied!

Viele Teilnehmer versichern uns immer wieder: Die Teilnahme am

Weight Wachters Treffen macht den Unterschied! Hier bekommen Sie die nötigen Tipps und die Motivation zum Durchhalten. Die *Weight Watchers* Leiter und Teilnehmer können sich gut in Ihre Situation versetzen und unterstützen Sie bei allen Herausforderungen.

Wollen Sie mehr wissen? Dann rufen Sie uns an! Wir informieren Sie über Treffen in Ihrer Nähe, das *Weight Watchers* Fernprogramm und unsere Angebote.

Deutschland:
Telefon: 0 18 02/23 45 64 (€ 0,06 pro Gespräch) www.weightwatchers.de

Schweiz:
Telefon: 09 00/57 05 06 (Fr 0,36 pro Minute) www.weightwatchers.ch

Eine Woche mit *Points Plus*

Damit Sie unser Ernährungskonzept testen können, haben wir für Sie eine Woche mit *Points Plus* zusammengestellt. An jedem Tag nehmen Sie insgesamt 20 *Points* zu sich: ein Frühstück, zwei Snacks, eine Leichte Mahlzeit und eine Hauptmahlzeit, deren Abfolge Sie frei wählen können. Alle Rezepte zu den Mahlzeiten finden Sie in diesem Kochbuch. Natürlich können Sie jedes Gericht auch durch ein anderes mit der gleichen *Points*-Zahl ersetzen. Möchten Sie zwischendurch noch weitere Snacks, dann knabbern Sie rohes, gekochtes oder sauer eingelegtes Gemüse, essen Sie Obst oder trinken Sie Gemüsesäfte. Das alles ist für 0 *Points* zu haben.

Wir wünschen Ihnen viel Erfolg beim Abnehmen und guten Appetit!

Ihr *Weight Watchers Team*

1. Tag

Frühstück:
Crêpes mit Vanillebeeren (S. 254)
Leichte Mahlzeit:
Leichtes Pfannen-Gemüse mit 1 Brötchen (S. 126)

Hauptmahlzeit:
Putenschnitzel »Altes Land« (S. 220)
1. Snack:
250 g Fruchtjoghurt, extra-leicht, bis 0,4% Fett und 1 Apfel
2. Snack:
5 Kräcker und 1 Glas Gemüsesaft

Trinken Sie sich fit! 1,5–2 Liter täglich (Wasser, Früchte- und Kräutertee)

▶ **TIPP** Sie können die 5 Kräcker auch durch 6 Löffelbiskuits ersetzen.

2. Tag

Frühstück:
250 ml Buttermilch, 1 kleine Banane, 1 TL gehackte Nüsse, 3 EL Beeren (TK)
Leichte Mahlzeit:
Tortellini-Salat (S. 40)
Hauptmahlzeit:
Gefüllte Tomaten mit 6 EL gegartem Reis (S. 124)
1. Snack:
1 Scheibe Toast mit 1 Scheibe Schnittkäse, 30% Fett i.Tr. und Paprikastreifen (Gemüsepeperoni)
2. Snack:
3 Haselnuss-Stangen und 1 Cappuccino mit geschäumter Milch (S. 267)

Trinken Sie sich fit! 1,5–2 Liter täglich (Wasser, Früchte- und Kräutertee)

▶ **TIPP** Der Tortellini-Salat eignet sich sehr gut zum Mitnehmen.

3. Tag

Frühstück:
Hirseschmarren mit Beerensauce (S. 258)
Leichte Mahlzeit:
Überbackener Schafkäse mit Salat »Rhodos« und 1 Kiwi (S. 47)
Hauptmahlzeit:
Balkanpfanne mit Lamm (S. 248)

1. Snack:
1 Glas Tomatensaft und Gurkenstifte
2. Snack:
Bunte Waldbeeren-Schnitte (S. 268)

Trinken Sie sich fit! 1,5–2 Liter täglich (Wasser, Früchte- und Kräutertee)

▶ **TIPP** Sie können das Lamm auch durch die gleiche Menge mageres Rindfleisch ersetzen.

Tag 4:

Frühstück:
Apfelpfannkuchen mit Zimt (S. 252)
Leichte Mahlzeit:
Ciabatta »Bistro« (S. 66)
Hauptmahlzeit:
Makkaroni mit Schinkensauce (S. 97)
1. Snack:
Obstsalat aus 1 Kiwi, 1 Orange, 1 kleinen Banane und Zitronensaft
2. Snack:
1 Zitronenkeks (S. 272)

Trinken Sie sich fit! 1,5–2 Liter täglich (Wasser, Früchte- und Kräutertee)

▶ **TIPP** Die Gerichte dieses Tages schmecken garantiert der ganzen Familie!

Tag 5:

Frühstück:
Erfrischender Frühlingsquark mit 1 Brötchen (S. 68)
Leichte Mahlzeit:
Bauernsalat »Kreta« und 1 Birne (S. 46)
Hauptmahlzeit:
Scharfes Curry mit Huhn (S. 224)
1. Snack:
1 Scheibe Knäckebrot mit Tomatenmark und 1 Scheibe Schnittkäse, 30% Fett i.Tr.

2. Snack:
1 Cappuccino mit geschäumter Milch und 1 Orange

Trinken Sie sich fit! 1,5–2 Liter täglich (Wasser, Früchte- und Kräutertee)

▶ **TIPP** Der Bauernsalat »Kreta« ist bestimmt Ihr nächster Party-Hit!

Tag 6:

Frühstück:
1 Mehrkornbrötchen mit 1 TL Margarine und 1 kleinen Ecke Camembert, 30% Fett i.Tr., und Ananas
Leichte Mahlzeit:
Italienische Minestrone (S. 36)
Hauptmahlzeit:
Spargel mit Lachs (S. 200)
1. Snack:
4 Tomaten-Kartoffel-Snacks (S. 56)
2. Snack:
200 ml trockener Rotwein und 3 Grissini (Brotsticks)

Trinken Sie sich fit! 1,5–2 Liter täglich (Wasser, Früchte- und Kräutertee)

▶ **TIPP** Unser Menütipp für Ihre Gäste: Als Vorspeise Italienische Minestrone, Spargel mit Lachs als Hauptspeise und 1 eisgekühlte Melone zum Dessert.

Tag 7:

Frühstück:
1 Scheibe Brot mit 1 TL Margarine, 1 Scheibe gekochtem Schinken und Tomatenscheiben
Leichte Mahlzeit:
Gebackener Camembert auf Salat (S. 67)
Hauptmahlzeit:
Kalbsroulade Parisienne (S. 236)
1. Snack:
1 Papaya mit Zitronensaft beträufelt

2. Snack:
1 Scheibe Pumpernickel mit 1 EL Frischkäse, 30% Fett i.Tr., und Karottenstiften

Trinken Sie sich fit! 1,5–2 Liter täglich (Wasser, Früchte- und Kräutertee)

▶ **TIPP** Unser Tipp für Ihr Sonntagsessen ist die Kalbsroulade »Parisienne«.

SUPPEN, SALATE, SNACKS

ZUCCHINI-CREME-SUPPE MIT CROÛTONS

Für 4 Personen:

4 Zucchini
4 Schalotten
2 Knoblauchzehen
1,2 Liter Gemüsebrühe (4 TL Instant)
2 Zweige Thymian
8 EL saure Sahne
Salz
Pfeffer
4 Scheiben Vollkorn-Toastbrot

Pro Person:

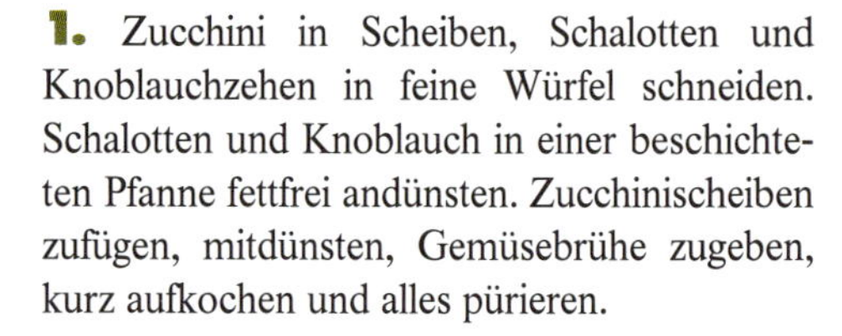

1. Zucchini in Scheiben, Schalotten und Knoblauchzehen in feine Würfel schneiden. Schalotten und Knoblauch in einer beschichteten Pfanne fettfrei andünsten. Zucchinischeiben zufügen, mitdünsten, Gemüsebrühe zugeben, kurz aufkochen und alles pürieren.

2. Thymian fein hacken und einen kleinen Teil zur Dekoration beiseite stellen. Suppe mit saurer Sahne, Thymian, Salz und Pfeffer abschmecken. Für die Croûtons Toastbrot würfeln und in einer beschichteten Pfanne fettfrei rösten. Zucchini-Cremesuppe mit restlichem Thymian und Croûtons bestreut servieren.

Zubereitungszeit: ca. 5 Minuten
Garzeit: ca. 10 Minuten

Thymian

Die mediterrane Küche ist ohne Kräuter und insbesondere ohne Thymian nicht vorstellbar. Letzterer harmoniert besonders gut mit Knoblauch, Tomaten und Oliven und kann in der Küche vielfältig eingesetzt werden. Thymian hat ein sehr starkes Aroma, das auch bei längerem Kochen erhalten bleibt, und wird daher sparsam verwendet. Auch im berühmten Gewürzmix »Herbes de Provence« ist Thymian ein wesentlicher Bestandteil neben Rosmarin, Bohnenkraut, wildem Majoran, Oregano und Lavendel. Thymian mit seinem intensiven Aroma macht das Besondere vieler Mahlzeiten aus. Sein Name leitet sich sogar vom griechischen Wort »Thumus« = Duft ab.

Dem Kraut wird neben der würzenden auch eine heilende Kraft nachgesagt: beruhigend, hustenlösend und stärkend. Das Wunderkraut blüht in der Zeit von Juni bis September und verbreitet während dieser Zeit seinen charakteristisch intensiven Geruch.

POTAGE AU ROQUEFORT (ROQUEFORTSUPPE)

Für 4 Personen:

4 Karotten
2 Zwiebeln
2 Stangen Bleichsellerie
1 Stange Lauch
4 TL Margarine
2 EL Mehl
750 ml Gemüsebrühe
(4 TL Instant)
250 ml fettarme Milch
90 g Roquefortkäse
Salz
Pfeffer

1. Karotten, Zwiebeln und Bleichsellerie fein würfeln und Lauch in dünne Scheiben schneiden. Margarine in einem Topf erhitzen und das Gemüse darin andünsten. Mehl darüber stäuben und kurz anschwitzen. Mit Brühe und Milch unter Rühren ablöschen und ca. 10 Minuten garen.

2. Roquefortkäse zerbröckeln und in der heißen Suppe unter Rühren schmelzen lassen. Mit Salz und Pfeffer abschmecken und servieren.

Zubereitungszeit: ca. 15 Minuten
Garzeit: ca. 15 Minuten

Pro Person: 4 POINTS

FRISCHE GEMÜSESUPPE

Für 2 Personen:

4 mittelgroße Karotten
1 Gemüsezwiebel
2 Stangen Lauch
1 gelbe Paprikaschote
1 Liter Gemüsebrühe
(2 TL Instant)
200 g Erbsen (TK)
Pfeffer
1 Bund Schnittlauch

Pro Person: 

1. Karotten und Gemüsezwiebel würfeln, Lauch halbieren und in Scheiben schneiden. Paprikaschote in Streifen schneiden.

2. Zwiebelwürfel in einem Topf fettfrei glasig braten, Karottenwürfel zufügen, kurz mitbraten, mit Gemüsebrühe auffüllen und 5 Minuten kochen lassen.

3. Paprikastreifen und Lauchscheiben zufügen und ca. 5 Minuten garen. Erbsen zur Suppe geben, mit Pfeffer abschmecken und weitere 5 Minuten garen.

4. Schnittlauch in Ringe schneiden. Suppe anrichten und mit Schnittlauch bestreut servieren.

Zubereitungszeit: ca. 5 Minuten
Garzeit: ca. 20 Minuten

Brühe selbst gemacht

Mit wenigen Zutaten können Sie selber eine leckere Gemüsebrühe herstellen. Für 1 Liter Brühe geben Sie 500 g klein geschnittenes Gemüse, 2 Lorbeerblätter, 2–3 Petersilienzweige in einen Topf und füllen mit 1 Liter kaltem Wasser auf. Suppe erhitzen, ca. 30 Minuten köcheln lassen, mit Pfeffer würzen, durch ein Sieb streichen und die selbstgemachte Gemüsebrühe ist fertig. Als Gemüse können Sie Sellerie, Karotten, Lauch, Fenchel oder Zwiebeln verwenden. Brühe können Sie sehr gut einfrieren.
So haben Sie immer eine Zwischenmahlzeit für 0 POINT im Haus. Mit ein paar Zutaten wird aus der Brühe schnell eine wohlschmeckende Hauptmahlzeit. Heiße Brühe weckt in der kalten Jahreszeit die Lebensgeister und sorgt für behagliches Wohlbefinden. Im Sommer schmeckt sie auch gut gekühlt und gewürzt.

PETERSILIEN-RAHM-SUPPE

Für 1 Person:

1 Zwiebel
3 Karotten
1 mittelgroße Kartoffel
250 ml Gemüsebrühe
(2 TL Instant)
1 Bund Petersilie
2 EL saure Sahne
Salz
Pfeffer

1. Zwiebel, 2 Karotten und Kartoffel grob würfeln und in einem Topf fettfrei anschwitzen. Gemüsebrühe angießen, zugedeckt ca. 20 Minuten garen und Suppe pürieren.

2. Restliche Karotte in feine Streifen schneiden, in die Suppe geben und weitere 5 Minuten bei milder Hitze garen. Petersilie hacken, mit saurer Sahne unterrühren und mit Salz und Pfeffer abgeschmeckt servieren.

Zubereitungszeit: ca. 10 Minuten
Garzeit: ca. 25 Minuten

Pro Person: 2 POINTS

CREMIGE KAROTTEN-SUPPE MIT INGWER

Für 4 Personen:

100 g Weichweizen
800 g Karotten
1 Liter Gemüsebrühe
(4½ TL Instant)
2 TL Ingwer, gerieben
2 EL Sauerrahm (Schmand, 24 % Fett)
2 EL gehackte Petersilie
2 TL Sesam

1. Weichweizen nach Packungsanweisung garen. Karotten würfeln, in einem beschichteten Topf andünsten, Brühe angießen und ca. 20 Minuten garen. ⅓ der Karotten herausnehmen und den Rest pürieren.

2. Ingwer, Sauerrahm, Petersilie, Weichweizen und Karottenwürfel zugeben und auf Tellern anrichten. Sesam fettfrei in einer beschichten Pfanne anrösten, über die angerichtete Suppe streuen und servieren.

Zubereitungszeit: ca. 10 Minuten
Garzeit: ca. 20 Minuten

Pro Person: 2 POINTS

ROTE PAPRIKASUPPE

Für 1 Person:

2 rote Paprikaschoten
1 Zwiebel
250 ml Gemüsebrühe
(2 TL Instant)
1 EL saure Sahne
1 EL Obstessig
Salz
Pfeffer
Paprikapulver
1 EL Kürbiskerne

1. Paprikaschoten und Zwiebel würfeln und fettfrei anschwitzen. Gemüsebrühe angießen und zugedeckt ca. 10 Minuten garen.

2. Suppe pürieren, saure Sahne unterrühren und mit Essig, Salz, Pfeffer und Paprikapulver abschmecken. Suppe mit Kürbiskernen bestreut servieren.

Zubereitungszeit: ca. 5 Minuten
Garzeit: ca. 10 Minuten

Pro Person: 2 POINTS

KLASSISCHE LINSENSUPPE

1. Karotten in Scheiben, Zwiebeln und Lauch in Ringe schneiden und in einem Topf fettfrei anschwitzen. Gemüsebrühe angießen und zugedeckt ca. 15 Minuten garen.

2. Linsen in die Suppe geben und weitere 5 Minuten garen. Suppe mit Salz, Pfeffer und Essig abschmecken. Linsen-Suppe heiß servieren.

Zubereitungszeit: ca. 5 Minuten
Garzeit: ca. 20 Minuten

Für 1 Person:

2 Karotten
2 Zwiebeln
1 Stange Lauch
300 ml Gemüsebrühe (2 TL Instant)
4 EL Linsen (Konserve)
Salz
Pfeffer
1 EL Essig

Pro Person:

PIKANTE JOGHURT-GURKENSUPPE

Für 1 Person:

1 Knoblauchzehe
250 g Magermilch-Joghurt
1 EL saure Sahne
½ Salatgurke
2 TL gehackte Kräuter
1 TL gehackte Walnüsse
Salz
Pfeffer

1. Knoblauchzehe mit Joghurt und saurer Sahne pürieren. Gurke fein würfeln, mit Kräutern und Walnüssen unter die Joghurt-Masse rühren und mit Salz und Pfeffer abschmecken.

2. Joghurt-Gurkensuppe nach Wunsch mit Kräuterbaguette servieren.

Zubereitungszeit: ca. 5 Minuten
Garzeit: ca. 15 Minuten

Pro Person: 3 POINTS

MEXIKANISCHER CHILI-TOPF

Für 1 Person:

1 rote Chilischote
1 Knoblauchzehe
3 EL Tatar (90 g)
Salz
Pfeffer
Paprikapulver
300 g geschälte Tomaten (Konserve)
2 EL Mais (Konserve)
3 EL Kidneybohnen (Konserve)
1 EL saure Sahne

1. Chilischote in feine Ringe schneiden, Knoblauchzehe zerdrücken und beides mit Tatar fettfrei knusprig braun braten. Tatarmasse mit Salz, Pfeffer und Paprikapulver kräftig würzen.

2. Tomaten, Mais und Kidneybohnen hinzugeben, erhitzen und nochmals kräftig abschmecken. Chili-Topf in einen Teller geben und mit 1 Esslöffel saurer Sahne servieren.

Zubereitungszeit: ca. 5 Minuten
Garzeit: ca. 10 Minuten

Pro Person: 4 POINTS

INDISCHE GEFLÜGELSUPPE

Für 1 Person:

1 Stange Lauch
1 Karotte
1 kleines Stück Sellerie
1 kleines Hähnchenbrustfilet (120 g)
300 ml Gemüsebrühe (2 TL Instant)
2 Tomaten
1 Zwiebel
1 TL Pflanzenöl
2 EL rote Linsen, trocken
1 TL Gelbwurz (Kurkuma)
Salz
Pfeffer
1 TL gehackter Koriander

1. Lauch, Karotte und Sellerie grob zerkleinern, mit Hähnchenbrustfilet in einen Topf geben. Gemüsebrühe und 200 ml Wasser angießen und zugedeckt bei milder Hitze ca. 30 Minuten garen. Hähnchenbrustfilet abgießen, Brühe auffangen und 300 ml abmessen. Fleisch in Streifen schneiden und Gemüse würfeln.

2. Tomaten überbrühen, häuten, entkernen und in Spalten schneiden. Zwiebel fein würfeln. Öl in einem Topf erhitzen, Zwiebelwürfel und rote Linsen darin anschwitzen, Gelbwurz darüber stäuben und mit der aufgefangenen Gemüsebrühe ablöschen. Linsen zugedeckt ca. 5 Minuten garen.

3. Fleischstreifen, Gemüsewürfel mit Tomatenspalten in der Suppe erhitzen, mit Salz und Pfeffer abschmecken und mit Koriander bestreut servieren.

Pro Person: 5 POINTS

Zubereitungszeit: ca. 10 Minuten
Garzeit: ca. 40 Minuten

Rote Linsen
Rote Linsen werden auch als »ägyptische« Linsen bezeichnet. Rote Linsen sind geschält und sehr zart, daher brauchen sie nicht eingeweicht zu werden und benötigen nur eine kurze Garzeit.

TOMATENSUPPE MIT GRIESS-GNOCCHI

Für 2 Personen:

250 ml fettarme Milch
1 TL Halbfettmargarine
8 EL Grieß
5 EL geriebener Parmesan (32% Fett i. Tr.)
Salz
Pfeffer
1 Knoblauchzehe
1 TL Pflanzenöl
500 g geschälte Tomaten (Konserve)
1 TL Thymian
1 TL Oregano
1 Prise Zucker

1. Milch und Margarine aufkochen, Grieß einrühren und zugedeckt ca. 15 Minuten ausquellen lassen. Parmesan unterrühren und mit Salz und Pfeffer würzen.

2. Von der Grießmasse kleine Klöße abstechen und in siedendem, nicht mehr kochendem Salzwasser bei mittlerer Hitze ca. 10 Minuten gar ziehen lassen, bis sie an der Oberfläche schwimmen. Gnocchi mit einer Schaumkelle aus dem Wasser nehmen und gut abtropfen lassen.

3. Knoblauchzehe fein hacken und in Öl scharf anbraten, Tomaten hinzugeben und mit Thymian und Oregano ca. 5 Minuten einkochen lassen. Tomatensuppe mit Zucker, Salz und Pfeffer abschmecken. Gnocchi in der Suppe erwärmen und mit Thymian bestreut servieren.

Zubereitungszeit: ca. 10 Minuten
Garzeit: ca. 30 Minuten

Pro Person: 5 POINTS

WIENER KARTOFFEL-SUPPE MIT PILZEN

Für 1 Person:

1 Zwiebel
250 g Kartoffeln
1 TL Pflanzenöl
250 ml Gemüsebrühe
(2 TL Instant)
100 g braune Champignons
Salz
Pfeffer
1 Prise geriebene
Muskatnuss
einige Blätter Majoran

1. Zwiebel und Kartoffeln fein würfeln. Öl in einem Topf erhitzen und beides darin glasig schwitzen. Gemüsebrühe angießen und zugedeckt ca. 15 Minuten köcheln lassen.

2. Champignons in Scheiben schneiden. Die Hälfte der Suppe entnehmen, pürieren und in den Topf zurückgeben. Champignonscheiben ca. 5 Minuten in der Suppe garen, mit Salz, Pfeffer und Muskatnuss abschmecken und mit Majoran garniert servieren.

Zubereitungszeit: ca. 10 Minuten
Garzeit: ca. 20 Minuten

Pro Person: 3 POINTS

MAISCREME-SUPPE

Für 4 Personen:

2 TL Pflanzenmargarine
200 g Mais (Konserve)
800 ml Gemüsebrühe
(4 TL Instant)
1 TL Paprikapulver
4 EL Sauerrahm (Schmand, 24 % Fett)
Salz, Pfeffer
4 TL gehackte Petersilie
4 Scheiben Baguettebrot

1. Margarine in einem Topf zerlassen und den Mais darin kurz andünsten. Mit Brühe ablöschen und ca. 10 Minuten garen. Suppe mit einem Mixer pürieren und Paprikapulver unterrühren.

2. Sauerrahm einrühren, mit Salz und Pfeffer abschmecken, mit gehackter Petersilie bestreuen und zu Baguette servieren.

Zubereitungszeit: ca. 5 Minuten
Garzeit: ca. 10 Minuten

Pro Person: 3 POINTS

CREMIGE PETERSILIENSUPPE

1. Knoblauchzehen und Zwiebeln würfeln. Öl in einer Pfanne erhitzen, Knoblauch- und Zwiebelwürfel mit Tatar knusprig braten. Tatarmasse aus der Pfanne nehmen.

2. Milch und Brühe aufkochen, Petersilie hineingeben und pürieren. Suppe mit Saucenbinder andicken, Tatarmasse hinzugeben, mit Salz und Pfeffer abschmecken und mit Brot servieren.

Zubereitungszeit: ca. 15 Minuten
Garzeit: ca. 15 Minuten

Für 4 Personen:

2 Knoblauchzehen
3 Zwiebeln
2 TL Pflanzenöl
300 g Tatar
500 ml fettarme Milch
300 ml Gemüsebrühe
(1 TL Instant)
2 Bund glatte Petersilie
2 EL heller Saucenbinder
(Instantpulver)
Salz
Pfeffer
4 Scheiben Brot

Kräuter: Was duftet da so gut?
Der wichtigste Grund, Kräuter in der Küche zu verwenden: Es schmeckt einfach besser. Der aromatische Duft und die feine Würze bereichern jedes Gericht. Daneben regen sie Appetit und Verdauung an und enthalten eine Menge Vitamine und Mineralstoffe. Frische Kräuter sollten möglichst sofort in Wasser gestellt werden.
Wenn Sie Kräuter länger aufbewahren möchten: waschen, trocken schütteln, in einen Frischhaltebeutel geben, etwas aufblasen, gut verschließen und im Kühlschrank aufbewahren. Kräuter erst vor der Verwendung zerkleinern, verwenden Sie dafür ein Wiegemesser oder ein scharfes Messer, damit die Kräuter geschnitten, nicht zerdrückt werden. Für die Verwendung gilt folgende Regel: Je härter und gröber die Blätter sind (z.B. Rosmarin), desto länger können sie mitgaren. Zarte Kräuter sollten erst kurz vor dem Servieren zugegeben werden.

BUNTE NUDELSUPPE

Für 4 Personen:

140 g Suppennudeln, trocken
Salz
1 Blumenkohl
2 Stangen Lauch
4 Karotten
1250 ml Gemüsebrühe
(4 TL Instant)
240 g Tatar
2 Eier
2 EL Paniermehl
Pfeffer

1. Nudeln nach Packungsanweisung in reichlich Salzwasser garen. Nudeln abgießen und mit kaltem Wasser abschrecken.

2. Blumenkohl in Röschen teilen, Lauch in Ringe und Karotten in Scheiben schneiden. Gemüsebrühe aufkochen und Gemüse darin ca. 10 Minuten garen.

3. Tatar mit Eiern und Paniermehl vermengen, mit Salz und Pfeffer würzen und kleine Bälle formen. Tatarbälle in die Suppe geben und bei kleiner Hitze zugedeckt ca. 10 Minuten gar ziehen lassen. Suppennudeln zugeben, mit Salz und Pfeffer abschmecken und servieren.

Zubereitungszeit: ca. 10 Minuten
Garzeit: ca. 25 Minuten

Pro Person: 4 POINTS

BUNTE GEMÜSESUPPE

1. Kartoffeln, Karotten und Tomate würfeln und Lauchzwiebel in Ringe schneiden. Gemüsebrühe aufkochen, Kartoffel- und Karottenwürfel zugeben und ca. 10 Minuten garen.

2. Tomatenwürfel, Lauchzwiebelringe und Blumenkohlröschen zugeben und weitere 10 Minuten garen. Die Suppe mit Salz, Pfeffer, Oregano und Liebstöckel abschmecken.

Zubereitungszeit: ca. 10 Minuten
Garzeit: ca. 20 Minuten

Für 1 Person:

200 g junge Kartoffeln
1 Bund junge Karotten
1 Tomate
1 Lauchzwiebel
500 ml Gemüsebrühe
(4 TL Instant)
100 g Blumenkohlröschen
Salz
Pfeffer
½ TL Oregano
1 Msp. Liebstöckel

ITALIENISCHE MINESTRONE

Für 1 Person:

2 Scheiben roher Schinken, ohne Fett
1 Zwiebel
1 Knoblauchzehe
1 mittelgroße Kartoffel
½ Aubergine
1 kleine Zucchini
1 Karotte
1 Stange Lauch
150 ml Gemüsebrühe (2 TL Instant)
200 g geschälte Tomaten (Konserve)
1 TL italienische Kräuter
2 EL gegarter Reis
2 EL weiße Bohnen (Konserve)
Salz
Pfeffer
Paprikapulver

Pro Person: 

1. Schinken, Zwiebel und Knoblauchzehe fein hacken und fettfrei anbraten. Kartoffel, Aubergine, Zucchini und Karotte würfeln, Lauch in Ringe schneiden und mit anschwitzen.

2. Gemüsebrühe und Tomaten angießen, Kräuter zugeben und zugedeckt ca. 15 Minuten garen.

3. Reis und Bohnen in der Minestrone erhitzen und mit Salz, Pfeffer und Paprikapulver abgeschmeckt servieren.

Zubereitungszeit: ca. 10 Minuten
Garzeit: ca. 20 Minuten

Minestrone
Minestrone ist eine italienische Gemüsesuppe, die je nach Region unterschiedlich zubereitet wird. In diese bunte Suppe passt jedes Gemüse, so können Sie das Gemüse, was Sie gerade zur Hand haben, verwenden. Anstatt mit gegartem Reis kann die Suppe auch mit Nudeln zubereitet werden. Besonders lecker schmeckt die Minestrone, wenn sie kurz vor dem Servieren mit frisch geriebenem Parmesan bestreut wird. Verwenden Sie pro Teller einen Esslöffel geriebenen Parmesan und berechnen Sie dafür 0,5 POINTS.

BUNTER HÜHNERTOPF

Für 4 Personen:

4 Lauchzwiebeln
8 Karotten
4 kleine Stangen Lauch
4 kleine Stücke Hühnerbrustfilet, gegart (à 100 g)
400 g frische, grüne Bohnen (ersatzweise Konserve)
1,2 Liter Hühnerbrühe (4 TL Instant)
150 g Suppennudeln, trocken
Salz
Pfeffer
2 Msp. Safran (ersatzweise Currypulver)
4 EL Schnittlauchringe

1. Lauchzwiebeln in Ringe, Karotten in Scheiben sowie Lauch und Hühnerfleisch in Streifen schneiden. Alles mit grünen Bohnen in einer beschichteten Pfanne fettfrei andünsten.

2. Hühnerbrühe angießen, Suppennudeln zugeben und ca. 5 Minuten garen. Mit Salz, Pfeffer und Safran abschmecken und mit Schnittlauchringen bestreut servieren.

Zubereitungszeit: ca. 10 Minuten
Garzeit: ca. 10 Minuten

Pro Person: 4 POINTS

BOHNENSALAT MIT FEURIGEM DRESSING

Für 4 Personen:

4 EL Tomatenmark
300 ml Gemüsebrühe (1 TL Instant)
4 TL Balsamicoessig
4 EL gehackte Petersilie
Salz
Pfeffer
2 Msp. Cayennepfeffer
einige Tropfen flüssiger Süßstoff
2 Bund Lauchzwiebeln
1 Bund glatte Petersilie
8 EL Kidneybohnen (Konserve)
8 EL weiße Bohnen (Konserve)
4 TL Thymian
1 Kopf Eisbergsalat

1. Tomatenmark mit Brühe, Essig und Petersilie verrühren und mit Salz, Pfeffer, Cayennepfeffer und Süßstoff abschmecken.

2. Lauchzwiebeln in Ringe schneiden, Petersilienblätter abzupfen und grob hacken. Beides mit Kidneybohnen, weißen Bohnen, Thymian und Dressing verrühren. Teller mit Salatblättern auslegen und Bohnensalat darauf anrichten.

Zubereitungszeit: ca. 10 Minuten

Pro Person: 2 POINTS

TORTELLINI-SALAT

Für 4 Personen:

240 g Tortellini, trocken
Salz
1 Bund Basilikum
4 EL Weinessig
(ersatzweise Obstessig)
4 TL Pflanzenöl
Pfeffer
3 Zucchini
250 ml Gemüsebrühe
(2 TL Instant)
5 Tomaten

1. Tortellini in Salzwasser bissfest garen. Basilikum fein hacken und mit Essig verrühren. Öl unterschlagen und mit Salz und Pfeffer abschmecken. Tortellini abgießen, noch heiß mit der Marinade mischen und ca. 30 Minuten ziehen lassen.

2. Zucchini mit einem Sparschäler längs in feine Scheiben schneiden. Brühe aufkochen, Zucchinischeiben zufügen und ca. 3 Minuten darin blanchieren. Abgießen und Kochflüssigkeit auffangen. Tomaten kreuzweise einritzen, überbrühen, häuten, entkernen und in Würfel schneiden.

3. Zucchinischeiben und Tomatenwürfel unter den Salat heben und mit ca. 100 ml Brühe vermengen. Salat ca. weitere 30 Minuten ziehen lassen, abschmecken und servieren.

Zubereitungszeit: ca. 10 Minuten
Marinierzeit: ca. 1 Stunde
Garzeit: ca. 15 Minuten

Pro Person: 4 POINTS

FELDSALAT MIT SCAMPI

Für 2 Personen:

1 Chicorée
200 g frische Champignons (ersatzweise Steinpilze)
2 Schalotten
200 g Feldsalat
1 Knoblauchzehe
2 TL Olivenöl
120 g Scampi (ersatzweise 20 mittelgroße Garnelen)
4 TL Zitronensaft
8 EL Gemüsebrühe (½ TL Instant)
2 TL mittelscharfer Senf
Salz
Pfeffer
einige Tropfen flüssiger Süßstoff

1. Chicorée in Streifen, Pilze in Scheiben, Schalotten in Würfel schneiden und mit Feldsalat auf großen Tellern anrichten. Knoblauchzehe zerdrücken. Öl in einer Pfanne erhitzen, Knoblauch und Scampi zufügen und ca. 5 Minuten von allen Seiten anbraten.

2. Für das Dressing Zitronensaft mit Gemüsebrühe und Senf verrühren und mit Salz, Pfeffer und Süßstoff abschmecken. Salat mit Dressing beträufeln, Scampi darauf anrichten und servieren.

Zubereitungszeit: ca. 10 Minuten
Garzeit: ca. 5 Minuten

Pro Person: 2 POINTS

SPINATSALAT MIT KNOBLAUCH-CROÛTONS

Für 4 Personen:

200 g Kirschtomaten
2 Zwiebeln
800 g frischer Blattspinat
4 EL Weißweinessig
4 TL Olivenöl
4 EL Gemüsebrühe
(¼ TL Instant)
2 TL Schnittlauchringe
Salz
Pfeffer
einige Tropfen flüssiger Süßstoff
2 Scheiben Toastbrot
1 Knoblauchzehe

1. Kirschtomaten halbieren, Zwiebeln in Ringe schneiden und Blattspinat in mundgerechte Stücke zupfen. Salatzutaten auf Teller anrichten. Für das Dressing Essig mit 3 Teelöffeln Olivenöl, Gemüsebrühe und Schnittlauchringen verrühren und mit Salz, Pfeffer und Süßstoff pikant abschmecken.

2. Für die Croûtons Toastbrot in Würfel schneiden und Knoblauchzehe zerdrücken. Restliches Olivenöl in einer beschichteten Pfanne erhitzen, Knoblauch zufügen und Toastbrotwürfel darin goldbraun anrösten. Salat mit Dressing beträufeln und mit Knoblauch-Croûtons bestreut servieren.

Zubereitungszeit: ca. 10 Minuten
Garzeit: ca. 5 Minuten

Pro Person: 1,5 POINTS

BUNTER MAISSALAT

Für 4 Personen:

je ½ Kopf Eisbergsalat, Frisée und Lollo Rosso
3 kleine Zwiebeln
8 Tomaten
2 gekochte Eier
350 g Mais (Konserve)
250 g fettarmer Joghurt
4 EL saure Sahne
1 EL Ketchup
Knoblauchsalz
Pfeffer
einige Tropfen flüssiger Süßstoff
4 EL Schnittlauchringe

1. Salate in mundgerechte Stücke zupfen, Zwiebeln in Ringe, Tomaten in Achtel und Eier in Scheiben schneiden. Alles mit Mais auf einem Teller anrichten.

2. Joghurt, saure Sahne und Ketchup verrühren, mit Knoblauchsalz, Pfeffer und Süßstoff abschmecken. Dressing über den Salat geben, mit Schnittlauchringen bestreuen und servieren.

Zubereitungszeit: ca. 10 Minuten

Pro Person: 3 POINTS

BAUERNSALAT »KRETA«

Für 4 Personen:

500 g Tomaten
je 1 rote und grüne Peperoni
2 Salatgurken
2 Zwiebeln
½ Bund Majoran
½ Bund Thymian
120 g Schafkäse
75 g grüne Oliven
30 g schwarze Oliven
4 TL kaltgepresstes Olivenöl
3 EL Kräuteressig
1–2 Knoblauchzehen
Salz
Pfeffer

Pro Person: 

1. Tomaten in Achtel, Peperoni in dünne Streifen, Gurken in Scheiben und Zwiebeln in Ringe schneiden. Majoran- und Thymianblättchen von den Stielen zupfen, Schafkäse in Würfel schneiden und alles mit Oliven mischen.

2. Olivenöl mit Kräuteressig verrühren, Knoblauchzehen zerdrücken, zugeben und mit Salz und Pfeffer abschmecken. Dressing über die Salatzutaten träufeln.

Zubereitungszeit: ca. 10 Minuten

Oliven

Oliven gehören zu den Steinfrüchten. Ihre Farbe variiert von grün über rot-violett bis dunkelblau und sie haben einen herben, leicht bitteren Geschmack. Der Anbau von Oliven erfolgt vor allem in den Mittelmeerländern, aber auch in Südamerika und in Kalifornien. Durch das Einlegen in Essig oder Salzwasser werden die Früchte erst genießbar. Würzig mariniert mit Kräutern, Knoblauch und Gewürzen sind sie besonders beliebt und begehrt. Schwarze Oliven werden hauptsächlich mit Stein angeboten, während es die grünen Oliven gefüllt mit Paprika, Mandeln oder Sardellen gibt.
Etwa 90% der Oliven werden zu Öl verarbeitet, die restliche Ernte wird als Tafeloliven verwendet. Die Olivenbäume werden immer noch mühsam von Hand geerntet. Die Ernte beginnt im Herbst mit den grünen, noch unreifen Oliven, gefolgt von den halbreifen lila Früchten und endet mit den ausgereiften, schwarzen Früchten. Unmittelbar nach der Ernte werden sie verlesen, gewaschen und dann zu Olivenöl oder Tafeloliven weiterverarbeitet.

ÜBERBACKENER SCHAFKÄSE MIT SALAT »RHODOS«

1. Zwiebeln in feine Ringe schneiden. Tomaten kreuzweise einritzen, überbrühen, häuten, entkernen und in Spalten schneiden. Schafkäse in Scheiben schneiden und in eine Auflaufform setzen.

2. Zwiebeln, Tomaten und abgetropfte Peperonis darauf verteilen. Käse und Kräuter vermengen, über das Gemüse streuen und im vorgeheizten Backofen bei 175 Grad (Gas: Stufe 2) ca. 15 Minuten backen.

3. Für den Salat Zwiebel hacken, Weißkohl in feine Streifen und Gurke in Würfel schneiden. Kirschtomaten halbieren und Oliven in Scheiben schneiden. Salatzutaten in eine Schüssel geben und vermengen. Essig mit Öl, Senf und Rosmarin verrühren und mit Salz, Pfeffer und Süßstoff abschmecken. Dressing mit dem Salat vermengen, kurz ziehen lassen und mit Schafkäse servieren.

Zubereitungszeit: ca. 10 Minuten
Garzeit: ca. 15 Minuten

Für 4 Personen:

2 Zwiebeln
4 Tomaten
240 g Schafkäse
100 g milde Peperonis (Konserve)
4 EL geriebener Käse (32 % Fett i. Tr.)
1 EL gemischte Kräuter

FÜR DEN SALAT »RHODOS«:
1 Zwiebel
¼ Kopf Weißkohl (250 g)
1 Salatgurke
250 g Kirschtomaten
10 schwarze Oliven, ohne Kern
4 EL Obstessig
3 TL Olivenöl
1 TL Senf
1 TL Rosmarin
Salz
Pfeffer
einige Tropfen flüssiger Süßstoff

Pro Person: 6,5 POINTS

FRÜHLINGSSALAT MIT KALBSFILET

Für 4 Personen:

8 Karotten
4 Kohlrabi
8 Frühlingszwiebeln
6 EL saure Sahne
150 g Magermilch-Joghurt
8 EL Minze
Salz
Pfeffer
einige Tropfen flüssiger Süßstoff
375 g mageres Kalbsfilet (ersatzweise 360 g Geflügelfilet)

1. Karotten und Kohlrabi raspeln, Frühlingszwiebeln in Ringe schneiden und alles vermengen.

2. Für das Dressing saure Sahne mit Joghurt vermischen, Minze fein hacken, unterrühren und mit Salz, Pfeffer sowie etwas Süßstoff abschmecken.

3. Kalbsfilet in feine Streifen schneiden, in einer beschichteten Pfanne fettfrei von allen Seiten ca. 5 Minuten anbraten und mit Salz und Pfeffer würzen. Salat auf Teller verteilen und mit Minzdressing und Filetstreifen anrichten.

Zubereitungszeit: ca. 15 Minuten
Garzeit: ca. 5 Minuten

Pro Person: 2,5 POINTS

ITALIENISCHER BROTSALAT

1. Brotscheiben in grobe Stücke zerteilen und in einer beschichteten Pfanne fettfrei anrösten.

2. Paprikaschoten in Stücke, Tomaten in Spalten und Frühlingszwiebeln in Ringe schneiden. Salat in mundgerechte Stücke zupfen und alles vermengen.

3. Essig mit Brühe, Salz und Pfeffer verrühren. Nussöl unterschlagen und abschmecken. Salat auf Tellern anrichten, mit Dressing beträufeln und mit Haselnüssen bestreuen.

Zubereitungszeit: ca. 20 Minuten

Für 4 Personen:

4 Scheiben Brot
2 gelbe Paprikaschoten
4 Tomaten
2 Bund Frühlingszwiebeln
1 Kopf Eichblattsalat
4 EL Apfelessig
200 ml Gemüsebrühe
(1 TL Instant)
Salz
Pfeffer
3 TL Nussöl
(ersatzweise Pflanzenöl)
1 TL gehobelte Haselnüsse

Pro Person: 3 POINTS

FAMILY-SALAT

Für 4 Personen:

1 Knoblauchzehe
4 TL gemischte Kräuter (TK)
125 ml Gemüsebrühe
(1 TL Instant)
4 EL Essig
2 TL Sojasauce
1 TL Senf
Salz
Pfeffer
einige Tropfen flüssiger Süßstoff
4 Tomaten
je 1 rote und grüne Paprikaschote
4 Scheiben Schweinebratenaufschnitt
1 Zwiebel
1 Bund Schnittlauch
8 EL Mais (Konserve)

1. Knoblauchzehe zerdrücken und mit Kräutern, Gemüsebrühe, Essig, Sojasauce und Senf verrühren. Mit Salz, Pfeffer und Süßstoff abschmecken.

2. Tomaten, Paprikaschoten und Schweinebratenaufschnitt würfeln, Zwiebel und Schnittlauch in Ringe schneiden. Alle Zutaten mit Mais in eine Schüssel geben, mit Marinade vermengen und ca. 2 Stunden durchziehen lassen.

Zubereitungszeit: ca. 20 Minuten
Marinierzeit: ca. 2 Stunden

Pro Person: 

RUCOLA-MANDARINEN-SALAT MIT WALNUSS

1. Rucola in mundgerechte Stücke zupfen. 8 Mandarinen filetieren. Rucola mit Mandarinenfilets mischen und auf Tellern anrichten. Restliche Mandarinen auspressen.

2. Mandarinensaft, Walnussöl, Weißweinessig, Süßstoff und Salz zu einem Dressing verrühren und den Salat damit beträufeln. Walnüsse hacken und Salat damit bestreut servieren.

Zubereitungszeit: ca. 10 Minuten

Für 4 Personen:

800 g Rucola
10 Mandarinen
4 TL Walnussöl
(ersatzweise Pflanzenöl)
2 EL Weißweinessig
einige Tropfen flüssiger Süßstoff
Salz
40 g Walnüsse

Pro Person: 3 POINTS

SALAT MIT SESAMTOMATEN

Für 4 Personen:

2 EL Zucker
5 EL Orangensaft, ohne Zucker
1 EL Sojasauce
250 g Kirschtomaten
7 TL Sesamsamen
2 gelbe Paprikaschoten
1 Bund Frühlingszwiebeln
1 Salatgurke
1 Karotte
1 Kopf Lollo Bionda (ersatzweise Blattsalat)
2 EL Weißweinessig
1 TL Senf
Salz
Pfeffer
einige Tropfen flüssiger Süßstoff
4 Scheiben Sesam-Knäckebrot

1. Zucker in einer beschichteten Pfanne karamellisieren, mit Orangensaft und Sojasauce ablöschen. Kirschtomaten mit Sesam zufügen, verrühren, von der Herdplatte nehmen und durchziehen lassen.

2. Paprikaschoten in Streifen, Frühlingszwiebeln in Ringe schneiden. Gurke streifenförmig schälen und in Scheiben schneiden. Karotte grob raspeln. Salat in mundgerechte Stücke zupfen. Gemüse vermischen und auf Teller verteilen.

3. Sesamtomaten auf dem Salat anrichten. Essig und Senf zu dem Schmorfond geben, verrühren und mit Salz, Pfeffer und Süßstoff abschmecken. Salat mit Dressing beträufeln und mit Knäckebrot servieren.

Zubereitungszeit: ca. 15 Minuten
Garzeit: ca. 5 Minuten

Pro Person: 

BROT MIT SCHAFKÄSEFÜLLUNG

Für 20 Scheiben:

FÜR DEN TEIG:
200 g Vollkornmehl
200 g Weizenmehl
100 g Roggenmehl
1 Würfel frische Hefe
Salz

FÜR DIE FÜLLUNG:
210 g Schafkäse
2 grüne Peperoni
2 Schalotten
200 g Champignons
200 g Karotten
100 g Mais (Konserve)
3 EL Sojasauce

1. Vollkornmehl mit Weizenmehl und Roggenmehl mischen, in eine Schüssel geben und eine Mulde in die Mitte schieben. Hefe hineinbröckeln, 5 Esslöffel lauwarmes Wasser zugeben und abgedeckt an einem warmen Ort ca. 15 Minuten gehen lassen. 1 Prise Salz und ca. 250 ml Wasser zufügen, zu einem glatten Hefeteig verarbeiten und ca. 30 Minuten zugedeckt an einem warmen Ort gehen lassen.

2. Schafkäse in Würfel, Peperoni und Schalotten in Ringe, Champignons in Scheiben, Karotten in Stifte schneiden und mit Mais vermengen. Gemüse mit Sojasauce beträufeln und ca. 5 Minuten ziehen lassen. Brotteig ausrollen, Gemüsemasse auf eine Hälfte des Teigs geben und die andere Brotteighälfte darüber schlagen.

3. Brot auf ein mit Back-Folie ausgelegtes Backblech setzen und im vorgeheizten Backofen auf der mittleren Schiene bei 200 Grad (Gas: Stufe 3, Umluft: 180 Grad) ca. 25 Minuten backen. Brot herausnehmen, mit Aluminiumfolie abdecken und ca. 25 weitere Minuten backen.

Zubereitungszeit: ca. 30 Minuten
Ruhezeit: ca. 45 Minuten
Backzeit: ca. 50 Minuten

Pro Scheibe: 

BRUSCHETTA MIT BOHNEN

1. Baguette in 12 Scheiben schneiden und im vorgeheizten Backofen bei 150 Grad (Gas: Stufe 1) ca. 5 Minuten rösten.

2. Tomaten und Zwiebel fein würfeln. Zwiebelwürfel in einer beschichteten Pfanne anrösten, Tomatenwürfel und Bohnen zufügen. Mit Essig ablöschen und ca. 5 Minuten dünsten. Tomatenmark einrühren und mit Rosmarin, Salz und Pfeffer abschmecken.

3. Knoblauchzehe abziehen, halbieren und warme Baguettescheiben damit bestreichen. Bruschetta mit Bohnenmasse belegen und servieren.

Für 12 Scheiben:

1 kleines Baguette (250 g)
2 Tomaten
1 Zwiebel
100 g weiße Bohnen (Konserve)
2 EL Balsamicoessig
1 TL Tomatenmark
2 TL Rosmarin
Salz
Pfeffer
1 Knoblauchzehe

Zubereitungszeit: ca. 15 Minuten
Backzeit: ca. 5 Minuten
Garzeit: ca. 5 Minuten

Pro Scheibe:

TOMATEN-KARTOFFEL-SNACKS

Für 12 Stück:

½ Bund Petersilie
2 Knoblauchzehen
3 TL Olivenöl
Salz
Pfeffer
3 mittelgroße gekochte Pellkartoffeln
3 Tomaten
2 EL geriebener Parmesan (32% Fett i. Tr.)
2 TL weißer Balsamicoessig (ersatzweise Rotweinessig)

1. Petersilie, Knoblauchzehen und Olivenöl pürieren und mit Salz und Pfeffer würzen.

2. Kartoffeln und Tomaten in ca. 1 cm dicke Scheiben schneiden. Kartoffelscheiben auf ein mit Back-Folie belegtes Backblech legen und mit Petersilien-Pesto bestreichen. Jeweils 1 Tomatenscheibe auf eine Kartoffelscheibe legen und mit Parmesan bestreuen. Tomaten-Kartoffel-Snacks im vorgeheizten Backofen bei 220 Grad (Gas: Stufe 3) ca. 10 Minuten gratinieren. Tomaten-Kartoffel-Snacks mit Essig beträufeln und servieren.

Zubereitungszeit: ca. 10 Minuten
Garzeit: ca. 10 Minuten

Pro Stück: 0,5 POINTS

GEMÜSE-ANTIPASTI

Für 4 Personen:

2 Zucchini
2 Auberginen
1 rote Paprikaschote
200 g kleine weiße Zwiebeln
500 g kleine Champignons
10 TL Olivenöl
8 EL Zitronensaft
2 EL Weißweinessig
2 EL mittelscharfer Senf
8 EL Gemüsebrühe (½ TL Instant)
4 TL gehackter Thymian
Salz
bunter Pfeffer
einige Tropfen flüssiger Süßstoff

1. Zucchini und Auberginen in Scheiben, Paprikaschote in grobe Stücke schneiden, Zwiebeln und Champignons halbieren.

2. 3 Teelöffel Olivenöl in einer beschichteten Pfanne erhitzen, zunächst Zucchinischeiben und Paprikastücke von beiden Seiten ca. 5 Minuten braun anbraten und auf Küchenpapier abtropfen lassen. Weitere 3 Teelöffel Öl zugeben und Auberginenscheiben ebenso braten. Restliches Öl erhitzen und Zwiebeln sowie Champignons von allen Seiten anbraten.

3. Zitronensaft, Weißweinessig, Senf, Brühe und Thymian verrühren und alles pikant mit Salz, Pfeffer und Süßstoff abschmecken. Vorbereitetes Gemüse auf Platten anrichten, mit dem Dressing beträufeln und mit frischem Thymian garniert servieren.

Zubereitungszeit: ca. 10 Minuten
Garzeit: ca. 15 Minuten

Pro Person: 2,5 POINTS

PIKANTE KÄSESCHNECKEN

Für 4 Personen:

270 g Hefeteig (TK)
je ½ rote, gelbe und grüne Paprikaschote
40 g Salami, in dünnen Scheiben
120 g Frischkäse mit Kräutern (30 % Fett i. Tr.)
1 Eigelb
Salz
Pfeffer
1 Kopfsalat
800 g Feldsalat
400 g Kirschtomaten
100 g Mais (Konserve)
8 EL Balsamicoessig
2 TL Pflanzenöl
7 EL Gemüsebrühe (½ TL Instant)
einige Tropfen flüssiger Süßstoff

1. Hefeteig nach Packungsanweisung auftauen lassen. Paprikaschoten fein würfeln, in einer beschichteten Pfanne andünsten und abkühlen lassen. Salamischeiben würfeln, mit Frischkäse, Eigelb und Paprikawürfeln verrühren und mit Salz und Pfeffer abschmecken.

2. Hefeteig zu einem Rechteck von ca. 30 x 20 cm ausrollen. Käsemasse darauf streichen, von der Längsseite her aufrollen und ca. 1 Stunde tiefkühlen. 12 ca. 1 cm dicke Scheiben abschneiden und auf ein mit Back-Folie ausgelegtes Backblech legen. Im vorgeheizten Backofen auf der mittleren Schiene bei 180 Grad (Gas: Stufe 2, Umluft: 160 Grad) ca. 20 Minuten backen.

3. Kopfsalat und Feldsalat in mundgerechte Stücke zupfen, Kirschtomaten halbieren und mit Mais mischen. Balsamicoessig, Öl und Gemüsebrühe verrühren, mit Salz, Pfeffer und Süßstoff abschmecken und Dressing über den Salat träufeln. Jeweils 3 Käseschnecken mit Salat auf Tellern anrichten und servieren.

Zubereitungszeit: ca. 30 Minuten
Kühlzeit: ca. 1 Stunde
Backzeit: ca. 20 Minuten

BUNTE SCHAFKÄSECREME

Für 4 Personen:

120 g Schafkäse (45% Fett i. Tr.)
600 g Magerquark
250 g fettarmer Joghurt
3 kleine Zwiebeln
2 rote Paprikaschoten
4 kleine Gewürzgurken
1 TL Kümmel
4 TL Senf
1 TL Paprikapulver
Salz
Pfeffer
4 EL Schnittlauchringe

1. Schafkäse mit einer Gabel zerdrücken und mit Quark und Joghurt zu einer glatten Creme verrühren.

2. Zwiebeln und Paprikaschoten fein würfeln und Gewürzgurken fein hacken. Alles unter die Käsecreme rühren, mit Kümmel, Senf und Paprikapulver würzen. Mit Salz und Pfeffer kräftig abschmecken und mit Schnittlauchringen bestreut servieren.

Zubereitungszeit: ca. 10 Minuten

Pro Person: 

Schafkäse

Schafkäse, ursprünglich aus Griechenland stammend, muss aus mindestens 25% Schafmilch bestehen. Er wird vorwiegend in Spanien, Korsika, Sardinien, Sizilien und auf den griechischen Inseln erzeugt. Der pikante und salzige Geschmack entsteht durch Reifung der Käseblöcke in einer bis zu 10-prozentigen Salzlake. Weil Schafkäse traditionell lange lagern, werden sie oft im späteren Reifestadium in Olivenöl eingelegt, um den intensiven Geruch zu mildern.

Der Käse mit seiner weichen Konsistenz ist reich an Vitaminen und enthält weniger Cholesterin als Kuhmilchkäse. Menschen mit einer Milchunverträglichkeit vertragen Schafmilchprodukte in der Regel besser als Kuhmilchprodukte. Bekannte Schafkäse sind der griechische Feta, der spanische Manchego und der französische Roquefort.

Der Roquefort aus den französischen Cevennen mit dem scharfen, aromatischen Geschmack gilt als König der Edelpilzkäse. Der Erfolg des edlen Schafkäse erklärt sich aus dem einzigartigen Klima der Höhlen des Combalou, in denen der Schimmelkäse reift. Der typische Schafkäse des Mittelmeerraumes wird besonders für würzige Füllungen, Aufläufe, Pizzen und als Salatzutat verwendet.

SALSA-BURGER

1. Zwiebel in Würfel schneiden, Brötchen in Wasser einweichen, gut ausdrücken und beides mit Tatar und Ei vermischen. Mit Senf und Salz würzen und zu vier dünnen Burgern formen. Brat-Folie in einer Pfanne erhitzen und die Burger bei mittlerer Hitze von jeder Seite ca. 5 Minuten braten. Zwiebeln in Ringe, 1 Tomate und Gewürzgurken in Scheiben schneiden.

2. Brötchen aufschneiden und mit Senf sowie Salsa Sauce bestreichen. Unterseite mit jeweils einem Salatblatt belegen, restlichen Salat in mundgerechte Stücke zupfen. Zwiebelringe in der Pfanne kurz andünsten. Burger auf die Bröchenunterseiten legen. Die Gewürzgurken-, Tomatenscheiben und Zwiebelringe auf den Burgern verteilen und mit zweiter Brötchenhälfte abdecken.

3. Restliche Tomaten und Salatgurke würfeln und mit dem verbliebenen Kopfsalat mischen. Für das Dressing Joghurt mit Milch glatt rühren, Schnittlauchringe unterheben und pikant mit Salz, Pfeffer und Süßstoff abschmecken. Dressing über den Salat träufeln und zum Salsa Burger servieren.

Zubereitungszeit: ca. 10 Minuten
Garzeit: ca. 12 Minuten

Für 4 Personen:

1 Zwiebel
½ Brötchen vom Vortag
360 g Tatar
(ersatzweise Geflügeltatar)
1 Ei
1 TL Senf
Salz
2 Zwiebeln
8 Tomaten
2 Gewürzgurken
4 Brötchen
4 TL mittelscharfer Senf
6 EL Salsa Sauce
(Fertigprodukt)
1 Kopfsalat
1 Salatgurke
150 g Magermilch-Joghurt
125 ml fettarme Milch
2 EL Schnittlauchringe
Salz
Pfeffer
einige Tropfen flüssiger
Süßstoff

HAMBURGER MIT KRÄUTERQUARK

Für 1 Person:

1 Lauchzwiebel
3 EL Tatar (90 g)
3 EL Magerquark
2 TL gemischte Kräuter (TK)
1 EL Haferflocken
Salz
½ TL Senf
3 Gewürzgurken
Currypulver
1 Tomate
1 Sandwich-Brötchen
einige Salatblätter

1. Lauchzwiebel in Ringe schneiden und mit Tatar, 2 Esslöffeln Quark, 1 TL Kräuter und Haferflocken vermischen. Mit Salz und Senf würzen, zu einem flachen Hamburger formen und in einer beschichteten Pfanne fettfrei von beiden Seiten ca. 5 Minuten braten.

2. Gewürzgurken fein hacken, mit dem restlichen Quark und Kräutern vermischen und mit Salz und Currypulver abschmecken. Tomate in Scheiben schneiden. 1 Brötchenhälfte mit Salatblättern, Hamburger, Kräuterquark und Tomatenscheiben belegen, andere Brötchenhälfte auflegen und servieren.

Zubereitungszeit: ca. 10 Minuten
Garzeit: ca. 10 Minuten

Pro Person: 5,5 POINTS

GEFÜLLTES FLADENBROT

1. Für das Tzatziki Gurke hobeln, Knoblauchzehe zerdrücken, mit Joghurt vermischen und pikant mit Salz und Pfeffer abschmecken. Tomate in Scheiben, Zwiebel in Ringe schneiden, Weißkohl fein hobeln, Peperonis halbieren und Schafkäse zerbröckeln.

2. Fladenbrot auf einem Toaster von beiden Seiten rösten und bunt mit einem Teil des Gemüses, des Tzatzikis und dem Schafkäse füllen. Fladenbrot mit restlichem Gemüse und Tzatziki servieren.

Zubereitungszeit: ca. 10 Minuten

Für 1 Person:

¼ Salatgurke
½ Knoblauchzehe
1 Becher Magermilch-Joghurt (150 g)
Salz
bunter Pfeffer
1 Tomate
½ Zwiebel
1 kleines Stück Weißkohl (100 g)
2 Peperonis (Konserve)
2 EL Schafkäse (45 % Fett i. Tr.)
1 Stück Fladenbrot (75 g)

Pro Person: 

PIKANTER BRATLING MIT SCHAFKÄSECREME

Für 4 Personen:

FÜR DIE BRATLINGE:
2 Zwiebeln
1 Knoblauchzehe
4 TL Pflanzenöl
300 g weiße Bohnen (Konserve)
300 g braune Bohnen (Konserve)
½ Bund glatte Petersilie
1 TL geriebener Ingwer
2 Eier
6 EL Mehl
6 TL gerösteter Sesam
Salz
Pfeffer

FÜR DIE SCHAFKÄSECREME:
90 g Schafkäse
250 g Magermilch-Joghurt
½ Bund Lauchzwiebeln
1 rote Paprikaschote

1. Zwiebeln in Ringe schneiden und Knoblauch zerdrücken. 1 Teelöffel Öl in einer beschichteten Pfanne erhitzen und beides darin andünsten. Bohnen abtropfen lassen, mit Zwiebeln und Knoblauch in eine Schüssel geben und alles pürieren.

2. Petersilie hacken und mit Ingwer, Eiern, Mehl und Sesam unter die Bohnenmasse rühren. Mit Salz und Pfeffer abschmecken. Restliches Öl in die Pfanne geben und erhitzen. Aus der Masse kleine Bratlinge formen und im heißen Öl rundherum anbraten.

3. Für die Creme Schafkäse zerdrücken und mit Joghurt verrühren. Lauchzwiebeln in Ringe und Paprikaschote in feine Würfel schneiden. Gemüse unter die Schafkäsecreme heben und mit Pfeffer abschmecken. Pikante Bratlinge mit Schafkäsecreme servieren.

Zubereitungszeit: ca. 20 Minuten
Garzeit: ca. 15 Minuten

Pro Person: 

CIABATTA »BISTRO«

Für 1 Person:

1 kleine Zwiebel
1 Tomate
1 rote Paprikaschote
50 g Champignons
Salz
Pfeffer
Kräuter der Provence
1 Ciabatta-Brötchen
2 TL Pesto
½ Kugel Mozzarella (50 g)

Pro Person: 

1. Zwiebel, Tomate und Paprikaschote in Würfel, Champignons in Scheiben schneiden, alles in einer beschichteten Pfanne ca. 5 Minuten fettfrei anbraten und mit Salz, Pfeffer und Kräutern der Provence würzen.

2. Ciabatta-Brötchen aufschneiden, jede Hälfte mit 1 TL Pesto bestreichen und mit dem vorbereiteten Gemüse belegen. Mozzarella fein würfeln, auf beide Brötchenhälften verteilen und im vorgeheizten Backofen bei 250 Grad (Gas: Stufe 4) ca. 5 Minuten überbacken.

Zubereitungszeit: ca. 10 Minuten
Garzeit: ca. 10 Minuten

Mozzarella

Diese kleine, runde Spezialität aus dem Süden Italiens wird schon seit 700 Jahren produziert. Neben dem sogenannten Parmesan ist Mozzarella die beliebteste Käsesorte Italiens. Die Grundlage des ursprünglichen Mozzarella ist Büffelmilch, doch aufgrund der großen Beliebtheit und der damit verbundenen Absatzmenge wird heute der größte Teil aus Kuhmilch hergestellt. Für die Dicklegung des aus natürlichen Zutaten und ohne Konservierungsstoffe hergestellten Mozzarella wird ausschließlich Zitronensäure verwendet. Der Begriff Mozzarella, der von dem italienischen Wort »mozzare« abstammt, bedeutet soviel wie „abschlagen“ oder »abziehen«. Durch das Abziehen der Kugeln von der Käsemasse bekommt der Mozzarella seine typische Form. Um die Frische zu gewährleisten werden die Kugeln oder Rollen traditionell in Salzlake aufbewahrt. Mozzarella ist vielfältig einsetzbar, da er durch seinen milden Geschmack sehr gut mit vielen anderen Zutaten, wie Gemüse und Kräutern, harmoniert. Die leichte Bekömmlichkeit und die Frische machen ihn zu einem immer populäreren Bestandteil in der deutschen Küche.

GEBACKENER CAMEMBERT AUF SALAT

1. Käse halbieren, Eigelb verquirlen und Haselnüsse mit der Hälfte des bunten Pfeffers mischen. Käsehälften zunächst in Ei und anschließend in Nussmischung wenden. Käsehälften in einer beschichteten Pfanne von beiden Seiten je ca. 4–5 Minuten anbraten.

2. Salat in mundgerechte Stücke zupfen, Tomate achteln, Zucchini in Scheiben, Frühlingszwiebeln in Ringe schneiden und auf einem Teller anrichten.

3. Für das Dressing Öl mit Essig und Orangensaft verrühren und mit Salz, restlichem buntem Pfeffer sowie Süßstoff abschmecken. Salat mit Dressing beträufeln und gebackenen Käse darauf anrichten.

Zubereitungszeit: ca. 10 Minuten
Garzeit: ca. 10 Minuten

Für 1 Person:

60 g Camembert (30 % Fett i. Tr.)
1 Eigelb
2 TL gehackte Haselnüsse
½ TL bunter Pfeffer
einige Blätter Lollo Bianco und Lollo Rosso
1 Tomate
1 gelbe Zucchini (ersatzweise grüne)
2 Frühlingszwiebeln
2 TL Haselnussöl
3 TL Weißweinessig
2 TL Orangensaft
Salz
einige Tropfen flüssiger Süßstoff

Pro Person: 8 POINTS

ERFRISCHENDER FRÜHLINGSQUARK

Für 4 Personen:

450 g Magerquark
50 ml Mineralwasser
Salz
Pfeffer
2 hartgekochte Eier
10 grüne Oliven, ohne Stein
1 Bund Radieschen
2 Fleischtomaten
½ Salatgurke
1 Bund glatte Petersilie
1 Knoblauchzehe

1. Quark mit Mineralwasser verrühren und mit Salz und Pfeffer würzen. Eier vierteln. Oliven und Radieschen in Scheiben, Tomaten und Gurke in Würfel schneiden.

2. Petersilie grob hacken und 1 Teelöffel zum Garnieren beiseite stellen. Knoblauchzehe zerdrücken und mit restlicher Petersilie, Radieschenscheiben, Tomaten- und Gurkenwürfeln mischen. Mit Salz und Pfeffer würzen.

3. Die Hälfte der Quarkmasse in eine Schüssel geben. ⅔ der Gemüsemischung darauf verteilen und mit restlichem Quark bedecken. Eierspalten außen herumsetzen und die restliche Gemüsemischung in die Mitte geben. Mit Petersilie garniert servieren.

Zubereitungszeit: ca. 15 Minuten

Pro Person: 3 POINTS

KARTOFFELN, NUDELN, REIS

HERZHAFTE BAUERNPFANNE

Für 4 Personen:

FÜR DIE BAUERNPFANNE:
2 Zwiebeln
160 g roher Schinken, ohne Fett
2 TL Pflanzenöl
240 g Tatar
Salz
Pfeffer
800 g gekochte Kartoffeln
3 Zucchini
75 ml Gemüsebrühe (½ TL Instant)
1 TL Rosmarin

FÜR DEN GURKENSALAT:
1 Salatgurke
1 Kopfsalat
45 g Parmesan (32 % Fett i. Tr.)
1 Becher saure Sahne (150 g)
2 TL Salatkräuter (TK)
1 TL Senf
einige Tropfen flüssiger Süßstoff

1. Zwiebeln und Schinken in Würfel schneiden. Öl erhitzen, Zwiebeln und Schinken zugeben und unter Rühren anbraten. Tatar zufügen, salzen, pfeffern und krümelig anbraten.

2. Kartoffeln in Spalten und Zucchini in Würfel schneiden. Kartoffelspalten und Zucchiniwürfel zufügen und ca. 5 Minuten anbraten. Mit Brühe ablöschen, mit Rosmarin würzen und weitere ca. 5 Minuten garen.

3. Für den Salat Salatgurke in Scheiben schneiden, Kopfsalat in mundgerechte Stücke zupfen und Parmesan reiben. Für das Dressing saure Sahne mit Parmesan, Kräutern und Senf verrühren, mit Salz, Pfeffer und Süßstoff abschmecken und über den Salat geben. Herzhafte Bauernpfanne abschmecken und mit Gurkensalat servieren.

Zubereitungszeit: ca. 20 Minuten
Garzeit: ca. 15 Minuten

Pro Person: 

KARTOFFELN MIT PESTOFÜLLUNG

Für 4 Personen:

1 kg gekochte Pellkartoffeln
125 ml fettarme Milch
2 Bund Basilikum
1 EL Pinienkerne
1 Knoblauchzehe
2 EL geriebener Parmesan (32 % Fett i. Tr.)
1 TL Olivenöl
Salz
Pfeffer
geriebene Muskatnuss

1. Kartoffeln halbieren und mit einem Teelöffel so aushöhlen, dass ein ca. 1 cm breiter Rand bleibt. Kartoffelinneres mit der Milch pürieren. Basilikum und Pinienkerne fein hacken, Knoblauchzehe zerdrücken, mit Parmesan und Olivenöl unter die Kartoffelmasse mischen und pikant mit Salz, Pfeffer und Muskatnuss abschmecken.

2. Die Kartoffelmasse mit Hilfe einer großen Spritztülle in die Kartoffelhälften füllen und im vorgeheizten Backofen bei 200 Grad (Gas: Stufe 3) ca. 5 Minuten backen.

Zubereitungszeit: ca. 10 Minuten
Garzeit: ca. 5 Minuten

Pro Person: 3 POINTS

KRÄUTERKARTOFFELN MIT HÜTTENKÄSE-DIP

Für 4 Personen:

1 kg Kartoffeln
½ Bund gehackte Petersilie
½ Bund gehackter Thymian
grobes Salz

FÜR DEN HÜTTENKÄSE-DIP:
je 1 gelbe und rote Paprikaschote
1 Knoblauchzehe
300 g Hüttenkäse
150 g Magerquark
2 EL geriebener Käse (32 % Fett i. Tr.)
2 TL süßer Senf
1 TL Currypulver
2 TL Zitronensaft
einige Tropfen flüssiger Süßstoff

1. Kartoffeln gründlich waschen und gut abtrocknen. Kräuter grob hacken. Kartoffeln einzeln auf kleine Stücke Aluminiumfolie setzen, mit Salz und Kräutern bestreuen, zusammenwickeln und auf dem Grill ca. 20 Minuten garen.

2. Für den Hüttenkäse-Dip Paprikaschoten in sehr feine Würfel schneiden und Knoblauchzehe zerdrücken. Hüttenkäse mit Quark glatt rühren. Paprikawürfel, Knoblauch, Käse, Senf, Currypulver und Zitronensaft unterrühren. Dip mit Süßstoff abschmecken und zu den Kräuterkartoffeln servieren.

Zubereitungszeit: ca. 15 Minuten
Garzeit: ca. 20 Minuten

Pro Person:

SCHINKEN-SPINAT-PASTETEN

Für 2 Personen:

250 g mehligkochende Kartoffeln
1 Zwiebel
2 Scheiben roher Schinken, ohne Fett
1 TL Pflanzenöl
200 g Blattspinat (TK)
2 EL geriebener Emmentaler (30% Fett i. Tr.)
Salz
Pfeffer
1 Prise geriebene Muskatnuss
1 Ei
4 EL Hartweizengrieß
2 EL Stärkemehl
300 g Pilze
einige Tropfen Zitronensaft
1 TL Petersilie

1. Kartoffeln mit Schale ca. 15 Minuten kochen, ausdämpfen lassen und pellen.

2. Zwiebel und Schinken fein würfeln, Öl erhitzen und beides darin ca. 5 Minuten andünsten. Spinat zugeben und zusammenfallen lassen. Emmentaler hinzugeben und mit Salz, Pfeffer und Muskatnuss würzen.

3. Kartoffeln durch die Presse drücken und mit Ei, Hartweizengrieß und Stärkemehl zu einem glatten Teig verkneten. Masse mit Salz, Pfeffer und Muskatnuss würzen und in 4 Portionen auf ein mit Back-Folie ausgelegtes Backblech legen. Teig mit einem Löffelrücken etwas flach drücken. Schinken-Spinat-Masse auf die Mitte der Teigstücke geben und den Teigrand mit Hilfe eines Messers hochziehen. Pasteten im vorgeheizten Backofen bei 200 Grad (Gas: Stufe 3) ca. 15 Minuten backen.

4. Pilze in Scheiben schneiden, in einer beschichteten Pfanne ca. 5 Minuten dünsten und mit Salz, Pfeffer und Zitronensaft abschmecken. Das Pilzgemüse mit Petersilie bestreut zu den Schinken-Spinat-Pasteten servieren.

Zubereitungszeit: ca. 25 Minuten
Garzeit: ca. 40 Minuten

Pro Person:

GEGRILLTE KARTOFFELSPIESSE

Für 2 Personen:

16 kleine junge Kartoffeln
1 kleines Putenbrustfilet (120 g)
16 Kirschtomaten
16 Perlzwiebeln (Konserve)
Salz
Pfeffer
1 TL italienische Kräuter
1 Glas Buttermilch
1 kleiner Kopf Blattsalat
1 EL Croûtons für Salat, Fertigprodukt

1. Kartoffeln gründlich waschen und mit Schale garen.

2. Fleisch in 8 Stücke schneiden. Kartoffeln, Kirschtomaten und Perlzwiebeln mit Fleischstücken bunt gemischt auf 4 große Spieße stecken. Brat-Folie in einer Pfanne erhitzen und die Spieße darauf rundherum ca. 5 Minuten braten (oder grillen), mit Salz und Pfeffer würzen und mit Kräutern bestreuen.

3. Buttermilch mit Salz und Pfeffer abschmecken. Salat in mundgerechte Stücke zupfen, mit Buttermilch-Dressing beträufeln und mit Croûtons bestreut zu den Kartoffelspießen servieren.

Zubereitungszeit: ca. 10 Minuten
Garzeit: ca. 25 Minuten

Pro Person: 

KARTOFFEL-PAPRIKA-GULASCH

Für 1 Person:

3 große festkochende Kartoffeln
1 Zwiebel
1 Knoblauchzehe
1 TL Pflanzenöl
250 ml Gemüsebrühe (1 TL Instant)
3 EL Tomatensaft
1 Msp. Cayennepfeffer
½ TL Kümmel
1 TL Currypulver
je 1 rote und gelbe Paprikaschote
2 EL saure Sahne
Salz
Pfeffer

1. Kartoffeln in Würfel, Zwiebel in Ringe schneiden und Knoblauchzehe fein hacken. Öl in einer beschichteten Pfanne erhitzen und Zwiebeln und Knoblauch darin glasig dünsten.

2. Kartoffelwürfel zugeben, kurz mitdünsten, Gemüsebrühe und Tomatensaft angießen, mit Cayennepfeffer, Kümmel und Currypulver würzen und bei mittlerer Hitze ca. 10 Minuten zugedeckt garen.

3. Paprikaschoten würfeln, zu den Kartoffeln geben und weitere 10 Minuten garen. Saure Sahne zugeben und nach Geschmack mit Salz und Pfeffer nachwürzen.

Zubereitungszeit: ca. 15 Minuten
Garzeit: ca. 20 Minuten

Pro Person:

KARTOFFEL-TOMATEN-SUPPE

1. Kartoffeln durch die Presse drücken. Tomaten überbrühen, häuten, entkernen und in sehr kleine Würfel schneiden. Zwiebel in kleine Würfel schneiden und Knoblauchzehe fein hacken.

2. Öl in einer Pfanne erhitzen, Zwiebel- und Knoblauchwürfel darin glasig dünsten. Zerdrückte Kartoffeln, Tomatenwürfel, Zitronensaft, Gemüsebrühe und Milch zugeben. Die Suppe kurz aufkochen, gehackte Petersilie zugeben und mit Salz und Pfeffer abschmecken.

Zubereitungszeit: ca. 10 Minuten
Garzeit: ca. 10 Minuten

Für 1 Person:

3 mittelgroße gekochte Kartoffeln
4 Tomaten
1 Zwiebel
½ Knoblauchzehe
1 TL Olivenöl
½ TL Zitronensaft
125 ml Gemüsebrühe (1 TL Instant)
125 ml fettarme Milch
1 EL gehackte Petersilie
Salz
Pfeffer

Pro Person: 4 POINTS

NEUE KARTOFFELN MIT MATJESTATAR

Für 1 Person:

1 Matjeshering (80 g)
1 rote Zwiebel
1 kleiner Apfel
100 g Rote Bete (Konserve)
1 Gewürzgurke
1 TL gehackter Dill
2 EL Gurkensud
2 TL Crème fraîche
1 Prise Piment
Salz
Pfeffer
einige Tropfen flüssiger Süßstoff
300 g gekochte Frühkartoffeln (z. B. Drillinge)

1. Matjesfilet abtropfen lassen und in Würfel schneiden. Zwiebel in Ringe, Apfel, Rote Bete und Gewürzgurke in Würfel schneiden.

2. Alle Zutaten mit Dill, Gurkensud, Crème fraîche und Piment vermischen, mit Salz, Pfeffer und Süßstoff abschmecken und zu den Frühkartoffeln servieren.

Zubereitungszeit: ca. 15 Minuten

Matjes: der Frühlingsfisch

Der Begriff »Matjes« kennzeichnet ein bestimmtes Entwicklungsstadium des Herings, in dem er noch nicht gelaicht hat. Der Matjes wird im Volksmund oft »jungfräulicher« Hering genannt. Eventuell lässt sich der Name »Matjes« auf das »Meisje« (holländisch Mädchen) zurückführen. Matjeszeit ist von Mitte Mai bis Ende Juni. Die Fische werden nach dem Fang sofort mit einem Schnitt geöffnet, ausgenommen und in Salz eingelegt. Durch das Einlegen in Salzlake wird das Fischfleisch zart und gewinnt an Aroma. In Deutschland wird Matjes als besondere Delikatesse gehandelt und am liebsten als Matjessalat oder mit frischen Kartoffeln in einer Marinade mit Gewürzgurken, Zwiebel und Apfel verspeist.

KARTOFFEL-BROCCOLI-AUFLAUF

1. Broccoli in Röschen teilen und in Salzwasser ca. 10 Minuten bissfest garen. Kartoffeln schälen und in Scheiben schneiden, Paprikaschote in grobe Würfel schneiden. Alles in eine Auflaufform schichten.

2. Gemüsebrühe aufkochen, Käse darin schmelzen und mit Salz, Pfeffer und Muskatnuss abschmecken. Käseguss über den Auflauf geben und im vorgeheizten Backofen bei 200 Grad (Gas: Stufe 3) ca. 20 Minuten überbacken.

Zubereitungszeit: ca. 15 Minuten
Garzeit: ca. 35 Minuten

Für 1 Person:

250 g Broccoli
Salz
3 mittelgroße gekochte Kartoffeln
1 rote Paprikaschote
125 ml Gemüsebrühe (1 TL Instant)
2 EL Schmelzkäse (25% Fett i. Tr.)
Pfeffer
geriebene Muskatnuss

Pro Person: 3 POINTS

SPINAT-GNOCCHI MIT TOMATENSAUCE

Für 2 Personen:

400 g mehligkochende Kartoffeln
Salz
300 g Blattspinat (ersatzweise TK)
1 Ei
3 EL Stärkemehl
3 EL Hartweizengrieß
Pfeffer
geriebene Muskatnuss
5 Tomaten
2 Knoblauchzehen
2 TL Pflanzenöl
Kräutersalz
2 EL geriebener Parmesan (32% Fett i. Tr.)

Pro Person: 6 POINTS

1. Kartoffeln in Salzwasser ca. 20 Minuten kochen und abgießen. Spinat fein hacken. Heiße Kartoffeln durch eine Presse drücken und mit Ei, Stärkemehl, Grieß und Spinat zu einem Teig verarbeiten. Kartoffelmasse mit Salz, Pfeffer und Muskatnuss würzen.

2. Aus der Kartoffelmasse kleine Knödel formen und mit einer Gabel eine Vertiefung in die Mitte drücken. Gnocchi in siedendem Salzwasser ca. 10 Minuten gar ziehen lassen, bis sie an der Oberfläche schwimmen.

3. Tomaten überbrühen, häuten und mit Knoblauchzehen sehr fein würfeln. Pflanzenöl in einem Topf erhitzen, Knoblauchwürfel darin anschwitzen, Tomatenwürfel zugeben und bei geringer Hitze ca. 10 Minuten köcheln lassen. Mit Kräutersalz und Pfeffer pikant abschmecken.

4. Gnocchi mit einer Schaumkelle aus dem Topf nehmen, mit Tomatensauce und Parmesan bestreut servieren.

Zubereitungszeit: ca. 10 Minuten
Garzeit: ca. 30 Minuten

Tipp:
Drücken Sie den Tiefkühl-Spinat gut aus, bevor Sie ihn verwenden.

KARTOFFELPFANNE RATATOUILLE

Für 1 Person:

3 gekochte Kartoffeln
1 Knoblauchzehe
1 Zucchini
1 Aubergine
1 rote Paprikaschote
1 Zwiebel
1 TL Olivenöl
300 g passierte Tomaten (Konserve)
½ TL Thymian
Salz
Pfeffer

1. Kartoffeln in Scheiben schneiden, Knoblauchzehe fein hacken, Zucchini, Aubergine, Paprikaschote und Zwiebel grob würfeln.

2. Olivenöl in einer großen Pfanne erhitzen, Knoblauch und Zwiebelwürfel darin glasig braten. Kartoffelscheiben und restliches Gemüse hinzugeben und 5 Minuten braten.

3. Passierte Tomaten und Thymian zugeben und weitere 10 Minuten bei mittlerer Hitze unter Rühren garen. Kartoffelpfanne mit Salz und Pfeffer abgeschmeckt servieren.

Zubereitungszeit: ca. 10 Minuten
Garzeit: ca. 15 Minuten

Pro Person: 3 POINTS

GEFÜLLTE KARTOFFELROLLE

Für 2 Personen:

6 gekochte Kartoffeln
1 Ei
2 EL Mehl
Salz
geriebene Muskatnuss
2 Frühlingszwiebeln
1 rote Paprikaschote
5 EL Tatar (150 g)
Cayennepfeffer
1 Päckchen Fix für Salatsauce
6 Tomaten
1 TL gehackte Petersilie (TK)

1. Kartoffeln zerdrücken, mit Ei, Mehl, Salz und Muskatnuss zu einem glatten Teig verarbeiten. Teig auf einer großen Fläche Aluminiumfolie zu einem Rechteck ausrollen.

2. Frühlingszwiebeln in Ringe, Paprikaschote in feine Würfel schneiden. Tatar in einer beschichteten Pfanne fettfrei knusprig braun braten, Gemüse hinzugeben und ca. 5 Minuten unter Rühren mitbraten. Tatar-Gemüse-Masse mit Salz und Cayennepfeffer kräftig würzen, auf dem Kartoffelteig verteilen, mit Hilfe der Aluminiumfolie aufrollen und in Aluminiumfolie umwickelt ca. 1 Stunde anfrieren.

3. Fix für Salatsauce nach Packungsanweisung ohne Öl zubereiten. Tomaten in Scheiben schneiden und mit Salatsauce und Petersilie vermengen.

4. Brat-Folie in einer Pfanne erhitzen, Kartoffelrolle in ca. 1 cm dicke Scheiben schneiden und darauf von beiden Seiten ca. 10 Minuten goldbraun braten. Kartoffelrolle mit Tomatensalat servieren.

Zubereitungszeit: ca. 10 Minuten
Gefrierzeit: ca. 1 Stunde
Garzeit: ca. 20 Minuten

Pro Person: 5 POINTS

FRIESISCHER KARTOFFELSCHMAUS

Für 1 Person:

1 Scheibe roher Schinken, ohne Fett
2 Lauchzwiebeln
3 Kartoffeln
100 ml Gemüsebrühe (1 TL Instant)
1 kleines Seelachsfilet (150 g)
Saft einer Zitrone
Salz
2 Tomaten
75 g Magermilch-Joghurt
Pfeffer
1 kleiner Kopf Blattsalat

1. Schinken würfeln, Lauchzwiebeln in Ringe und Kartoffeln in Scheiben schneiden. Schinkenwürfel in einer beschichteten Pfanne fettfrei knusprig braun braten. Zwiebelringe und Kartoffelscheiben hinzugeben, Gemüsebrühe angießen und zugedeckt ca. 15 Minuten garen.

2. Fischfilet grob würfeln, mit 2 Teelöffeln Zitronensaft beträufeln und leicht salzen. Tomaten in Spalten schneiden. Fischwürfel und Tomatenspalten zu den Kartoffeln geben und weitere 5 Minuten zugedeckt gar ziehen lassen.

3. Joghurt mit restlichem Zitronensaft, Salz und Pfeffer abschmecken. Blattsalat in mundgerechte Stücke zupfen und mit Joghurt-Dressing vermengen. Kartoffelschmaus mit Salat servieren.

Zubereitungszeit: ca. 15 Minuten
Garzeit: ca. 25 Minuten

Pro Person: 

GNOCCHI MIT GEMÜSESAUCE

Für 1 Person:

200 g mehligkochende Kartoffeln
2 EL Stärkemehl
Salz
1 Zwiebel
1 Knoblauchzehe
1 rote Paprikaschote
2 Karotten
1 EL Tomatenmark
125 ml Gemüsebrühe (½ TL Instant)
Pfeffer

1. Kartoffeln ca. 20 Minuten garen, noch heiß schälen und mit Stärkemehl und Salz zu einem glatten Teig verarbeiten. Gnocchi formen und in siedendem Salzwasser ca. 15 Minuten gar ziehen lassen.

2. Zwiebel, Knoblauchzehe, Paprikaschote und Karotten fein würfeln und in einer beschichteten Pfanne fettfrei anrösten. Tomatenmark und Gemüsebrühe hinzufügen und bei kleiner Hitze ca. 5 Minuten garen. Gemüsesauce mit Salz und Pfeffer abschmecken und Gnocchi darauf anrichten.

Zubereitungszeit: ca. 20 Minuten
Garzeit: ca. 40 Minuten

Pro Person: 3 POINTS

KARTOFFEL-CRÊPES MIT SCHNITTLAUCHQUARK

Für 2 Personen:

3 EL Magerquark
3 EL Mineralwasser
Salz
Pfeffer
einige Tropfen flüssiger Süßstoff
2 Lauchzwiebeln
2 TL Schnittlauchringe
150 g geschälte Kartoffeln
2 EL Wasser
1 EL Zitronensaft
2 EL Stärkemehl
1 Ei
2 TL Pflanzenöl

1. Quark mit 2 Esslöffeln Mineralwasser verrühren und mit Salz, Pfeffer und Süßstoff abschmecken. Lauchzwiebeln in feine Ringe schneiden, die Hälfte mit Schnittlauchringen unter die Quarkmasse rühren.

2. Kartoffeln grob würfeln und mit Wasser, Zitronensaft und Salz pürieren. Mit Stärkemehl, Ei und restlichem Mineralwasser zu einem glatten, leicht flüssigen Teig verrühren.

3. Pfanne mit 1 Teelöffel Öl einpinseln, die Hälfte des Teiges einfüllen und von beiden Seiten goldbraun backen. Pfanne mit restlichem Öl einpinseln, verbliebenen Teig zu einem zweiten Crêpe verarbeiten.

4. Crêpes mit Schnittlauchquark füllen und mit restlichen Lauchzwiebelringen bestreut servieren.

Zubereitungszeit: ca. 10 Minuten
Garzeit: ca. 10 Minuten

Pro Person:

KARTOFFEL-WIRSING-EINTOPF

Für 1 Person:

2 Zwiebeln
½ kleiner Kopf Wirsing
2 Scheiben roher Schinken, ohne Fett
3 Kartoffeln
1 Knoblauchzehe
300 ml Gemüsebrühe (1 TL Instant)
½ TL Kümmel (ganz oder gemahlen)
Salz
Pfeffer

1. Zwiebeln und Wirsing in Streifen schneiden, Schinken und Kartoffeln würfeln.

2. Schinkenwürfel in einem Topf anbraten, Zwiebel- und Wirsingstreifen hinzugeben und ca. 5 Minuten anrösten. Knoblauchzehe zerdrücken und mit Kartoffelwürfeln, Gemüsebrühe und Kümmel zu dem Wirsing geben. Eintopf im geschlossenen Topf ca. 20 Minuten garen und mit Kümmel, Salz und Pfeffer abgeschmeckt servieren.

Zubereitungszeit: ca. 10 Minuten
Garzeit: ca. 25 Minuten

Pro Person: 3 POINTS

HERZHAFTE KARTOFFELPFANNE

Für 1 Person:

1 dünne Scheibe Kalbsschnitzel, mager (125 g)
1 gelbe Paprikaschote
2 mittelgroße gekochte Kartoffeln
2 Karotten
2 Lauchzwiebeln
1 TL Pflanzenöl
125 ml Gemüsebrühe (1 TL Instant)
1 TL heller Saucenbinder (Instantpulver)
Salz
Pfeffer
Paprikapulver

1. Kalbsschnitzel und Paprikaschote in dünne Streifen, Kartoffeln in Scheiben, Karotten in Stifte und Lauchzwiebeln in Ringe schneiden.

2. Einen beschichteten Wok mit dem Öl erhitzen und Fleischstreifen darin anbraten. Paprikastreifen, Kartoffelscheiben, Karottenstifte und Lauchzwiebelringe zugeben und ca. 5 Minuten garen.

3. Mit Gemüsebrühe ablöschen, Saucenbinder darüber streuen, unterrühren, aufkochen lassen und mit Salz, Pfeffer und Paprikapulver pikant abschmecken.

Zubereitungszeit: ca. 10 Minuten
Garzeit: ca. 15 Minuten

Pro Person: 5 POINTS

WÜRZIGER KARTOFFELKUCHEN

Für 4 Personen:

2 dünne Scheiben gekochter Schinken
1 kg gekochte Kartoffeln
2 Eier
90 g Mehl
½ TL Backpulver
4 TL gehackte gemischte Kräuter
8 EL geriebener Käse (32% Fett i. Tr.)
geriebene Muskatnuss
Paprikapulver
Salz
Pfeffer
100 g fettarmer Joghurt
100 ml Orangensaft, ohne Zucker
einige Tropfen flüssiger Süßstoff
1 Kopf Chinakohl

1. Schinken in feine Streifen schneiden, Kartoffeln pürieren, mit Eiern, Mehl und Backpulver zu einem glatten Teig verkneten. Schinkenstreifen, Kräuter und Käse darunter mengen und mit Muskatnuss, Paprikapulver, Salz und Pfeffer würzen.

2. Kartoffelmasse auf ein mit Back-Folie ausgelegtes Backblech streichen und im vorgeheizten Backofen bei 175 Grad (Gas: Stufe 2) ca. 20 Minuten backen.

3. Joghurt mit Orangensaft verrühren und mit Süßstoff, Salz und Pfeffer abschmecken. Chinakohl in Streifen schneiden und mit Salatsauce vermengen. Kartoffelkuchen in Stücke schneiden und mit Chinakohlsalat servieren.

Zubereitungszeit: ca. 10 Minuten
Garzeit: ca. 20 Minuten

PESTO-KARTOFFELN MIT TOMATENSALAT

1. Kartoffeln schälen, in Salzwasser ca. 10 Minuten garen und abkühlen lassen.

2. Knoblauchzehe zerdrücken, mit Pinienkernen und 1 Prise Salz pürieren. Basilikum hacken und mit Parmesan unterrühren, Olivenöl einlaufen lassen und das Pesto gut vermengen.

3. Kartoffeln im Abstand von ca. 1 cm einschneiden, vorsichtig auseinander drücken und Pesto hineinstreichen. Kartoffeln auf Back-Folie setzen und im vorgeheizten Backofen bei 180 Grad (Gas: Stufe 2) ca. 20 Minuten garen.

4. Orangensaft mit Essig verrühren und mit Salz, Pfeffer und Süßstoff abschmecken. Tomaten in Scheiben, Schnittlauch in Ringe schneiden und mit Dressing vermengen. Pesto-Kartoffeln mit Tomatensalat servieren.

Zubereitungszeit: ca. 15 Minuten
Garzeit: ca. 30 Minuten

Für 4 Personen:

8 mittelgroße Kartoffeln
Salz
1 Knoblauchzehe
2 EL Pinienkerne
1 Bund Basilikum
3 EL geriebener Parmesan (32 % Fett i. Tr.)
4 TL Olivenöl
5 EL Orangensaft, ohne Zucker
2 EL Weißweinessig
Pfeffer
einige Tropfen flüssiger Süßstoff
8 Tomaten
½ Bund Schnittlauch

Pro Person: 4 POINTS

SPIRALNUDELN MIT PAPRIKA-TOMATEN-SAUCE

Für 2 Personen:

160 g Spiralnudeln, trocken
Salz
1 rote Chilischote (ersatzweise ½ TL Paprikapulver)
1 Stange Lauch
4 Schalotten
6 Tomaten
je 1 rote und gelbe Paprikaschote
2 EL gehackter Thymian
Pfeffer

1. Nudeln in reichlich kochendem Salzwasser nach Packungsanweisung bissfest garen.

2. Chilischote und Lauch in Ringe, Schalotten und Tomaten in Würfel und Paprikaschoten in Streifen schneiden. Chili und Schalotten in einer beschichteten Pfanne bei schwacher Hitze fettfrei andünsten. Lauch, Tomaten und Paprika zufügen und ca. 5 Minuten schmoren. Mit Thymian, Salz und Pfeffer abschmecken. Nudeln mit Paprika-Tomaten-Sauce servieren.

Zubereitungszeit: ca. 5 Minuten
Garzeit: ca. 10 Minuten

Pro Person: 4 POINTS

NUDEL-LAUCH-GRATIN

Für 4 Personen:

180 g Nudeln, trocken
Salz
2 Stangen Lauch
4 Karotten
1 TL Pflanzenöl
300 g Tatar
200 ml Gemüsebrühe
(1 TL Instant)
Pfeffer
80 g geriebener Käse
(32 % Fett i. Tr.)

1. Nudeln nach Packungsanweisung in reichlich Salzwasser bissfest garen.

2. Lauch in Ringe schneiden und Karotten würfeln. Öl in einer beschichteten Pfanne erhitzen und Tatar darin knusprig braten. Gemüse zum Tatar geben, Brühe angießen und ca. 5 Minuten garen. Alles mit Salz und Pfeffer würzen.

3. Nudeln und Tatar-Gemüsemasse vermengen und in eine flache Auflaufform füllen. Käse darüber streuen und im vorgeheizten Backofen bei 200 Grad (Gas: Stufe 3) ca. 15 Minuten überbacken.

Zubereitungszeit: ca. 10 Minuten
Garzeit: ca. 30 Minuten

Pro Person: 5 POINTS

MAKKARONI-KUCHEN

1. Makkaroni in kochendem Salzwasser nach Packungsanweisung bissfest garen. Karotten in Würfel und Frühlingszwiebel in Stifte schneiden, Romanesco in Röschen teilen und alles in kochendem Salzwasser ca. 5 Minuten blanchieren. Karottenwürfel, Romanescoröschen, Frühlingszwiebelringe, Pinienkerne und abgeschüttete Makkaroni vermengen, auf ein mit Margarine gefettetes, tiefes Backblech geben und mit Schinkenwürfeln bestreuen.

2. Milch, Schmand und Eier verquirlen, mit Salz, Pfeffer, Muskatnuss und Basilikum würzen und über die Nudeln gießen. Makkaroni-Kuchen im vorgeheizten Backofen auf der mittleren Schiene bei 200 Grad (Gas: Stufe 3, Umluft: 180 Grad) ca. 25 Minuten backen. Etwas abkühlen lassen, in Quadrate schneiden und servieren.

Zubereitungszeit: ca. 25 Minuten
Gar-/Backzeit: ca. 40 Minuten

Für 12 Stücke:

240 g Makkaroni, trocken
Salz
4 Karotten
1 Frühlingszwiebel
1 Romanesco
(ersatzweise 1 Broccoli)
3 EL Pinienkerne
2 TL Halbfettmargarine
80 g Schinkenwürfel, roh, ohne Fett
½ Liter fettarme Milch
120 g Sauerrahm
(Schmand, 24 % Fett)
6 Eier
Pfeffer
geriebene Muskatnuss
1 EL gehacktes Basilikum

Pro Stück: 3,5 POINTS

PAPRIKA-HUHN MIT FARFALLE

Für 1 Person:

60 g Farfalle, trocken
Salz
1 kleines Hühnerbrustfilet (120 g)
Paprikapulver
Pfeffer
je 1 rote und gelbe Paprikaschote
1 kleine rote Zwiebel
¼ Salatgurke
¼ Kopfsalat
1 TL Pflanzenöl
1 TL Senf
2 TL Obstessig
einige Tropfen flüssiger Süßstoff
2 TL geriebener Käse (32% Fett i. Tr.)
½ TL Oregano

Pro Person:

1. Nudeln in reichlich kochendem Salzwasser nach Packungsanweisung bissfest garen.

2. Hühnerbrustfilet mit Paprikapulver, Salz und Pfeffer einreiben und in einer beschichteten Pfanne fettfrei von allen Seiten anbraten. Paprikaschoten würfeln, mit dem Fleisch vermengen und ca. 5 Minuten dünsten.

3. Zwiebel in Ringe, Salatgurke in Scheiben schneiden und Salat in mundgerechte Stücke zupfen. Öl mit Senf und Essig verrühren und mit Salz, Pfeffer und Süßstoff abschmecken. Salatzutaten in eine Schüssel geben, mit Dressing vermengen und mit Käse bestreuen.

4. Paprika-Huhn mit Oregano, Salz und Pfeffer abschmecken, mit Nudeln und Salat servieren.

Zubereitungszeit: ca. 5 Minuten
Garzeit: ca. 10 Minuten

Was ist Grünkern?

In Grünkern, dem unreifen, gerösteten Korn des Dinkels, steckt die geballte Kraft von Kohlenhydraten, Ballaststoffen, Eiweiß, Vitaminen und Mineralstoffen, aber nur wenig Fett! Hier dürfen Sie gerne kräftig zulangen. Das Paprika-Huhn schmeckt gut mit einer leckeren Grünkerngrütze. Nehmen Sie 3 EL Grünkernschrot, das Sie mit 1 Zwiebel fettfrei andünsten, gießen Sie 200 ml Hühnerbrühe (1 TL Instant) an und lassen Sie das Ganze ca. 15 Minuten bei schwacher Hitze garen. Geben Sie kurz vor Ende der Garzeit die Paprikawürfel zu und servieren Sie das Gericht mit 1 EL Schmand. Berechnen Sie 1 POINT zusätzlich.

MAKKARONI MIT SCHINKENSAUCE

1. Makkaroni in reichlich kochendem Salzwasser nach Packungsanweisung bissfest garen.

2. Schinken, Zwiebeln, Knoblauchzehen und Tomaten würfeln und Chilischoten in Streifen schneiden. Schinken, Zwiebeln und Knoblauch in einer beschichteten Pfanne fettfrei andünsten, Chilistreifen zugeben und mitbraten. Tomatenfleisch zufügen, ca. 5 Minuten einkochen lassen und mit Salz und Pfeffer abschmecken.

3. Makkaroni mit Sauce anrichten und mit geraspeltem Parmesan und Basilikumblättern garniert servieren.

Zubereitungszeit: ca. 5 Minuten
Garzeit: ca. 12 Minuten

Für 4 Personen:

240 g Makkaroni, trocken
Salz
8 Scheiben roher Schinken, ohne Fett
4 kleine Zwiebeln
3 Knoblauchzehen
10 Tomaten
2 Chilischoten (ersatzweise 1 TL mildes Paprikapulver)
Pfeffer
4 EL geraspelter Parmesan (32% Fett i. Tr.)
einige Basilikumblätter

Pro Person: 4,5 POINTS

GRÜNE SPAGHETTI MIT LACHS

Für 4 Personen:

240 g grüne dünne Spaghetti, trocken
Salz
500 g Lachsfilet
Saft von 1 Zitrone
100 ml Gemüsebrühe (1 TL Instant)
150 g fettarmer Joghurt
1 EL saure Sahne
1 TL heller Saucenbinder (Instantpulver)
2 TL Senf (z.B. Löwensenf mittelscharf)
einige Blätter Minze

1. Spaghetti nach Packungsanweisung in kochendem Salzwasser bissfest garen. Lachsfilet mit der Hälfte des Zitronensaftes säuern und salzen. Eine beschichtete Pfanne erhitzen, Lachsfilet darin von beiden Seiten braten und warm stellen.

2. Gemüsebrühe mit Joghurt und saurer Sahne in einem Topf erhitzen, Saucenbinder einrühren und mit Senf, Salz und restlichem Zitronensaft abschmecken. Nudeln abgießen, und mit Senfsauce und Lachs auf Tellern anrichten, mit Minze garnieren und dazu servieren.

Zubereitungszeit: ca. 10 Minuten
Garzeit: ca. 20 Minuten

Tipp:
Dazu schmeckt vorzüglich ein Blumenkohl-Broccoli-Gemüse mit Senfsauce. Für die Senfsauce verdoppeln Sie einfach die Saucenmenge im Rezept! Berechnen Sie dann pro Person (0,5 POINTS) zusätzlich.

SPAGHETTI MIT SOJA-BOLOGNESE

Für 4 Personen:

240 g Spaghetti, trocken
Salz
1 große Zwiebel
2 Knoblauchzehen
1 TL Olivenöl
6 Tomaten
2 Karotten
8 EL Tomatenmark
700 g passierte Tomaten
¾ l Gemüsebrühe
180 g Sojagranulat (Fertigpackung)
Pfeffer
Sojasauce

FÜR DEN SALAT:
3 rote Paprika
1 Zucchini
400 g Feldsalat
100 g Mais (Konserve)
100 g Kresse
150 g fettarmer Joghurt
2 TL Zitronensaft
3 EL Orangensaft, ohne Zucker
einige Tropfen flüssiger Süßstoff

1. Spaghetti nach Packungsanweisung in kochendem Salzwasser garen. Zwiebel und Knoblauch fein hacken, Olivenöl in einer beschichteten Pfanne erhitzen und Zwiebeln und Knoblauch darin andünsten. Tomaten und Karotten in feine Würfel schneiden, zufügen und dünsten. Tomatenmark zugeben, und passierte Tomaten zugeben, Gemüsebrühe angießen und ca. 10 Minuten leicht köcheln lassen.

2. Sojagranulat zugeben, unterrühren und ca. 5 Minuten quellen lassen. Bolognese mit Salz, Pfeffer und Sojasauce pikant abschmecken. Paprika und Zucchini würfeln und mit Feldsalat, Mais und Kresse vermengen. Joghurt mit Zitronensaft und Orangensaft verrühren. Sauce mit Süßstoff, Salz und Pfeffer abschmecken und über den Salat geben. Spaghetti mit Soja-Bolognese auf Tellern anrichten und mit buntem Feldsalat servieren.

Zubereitungszeit: ca. 15 Minuten
Garzeit: ca. 15 Minuten

Pro Person: 

PIKANTE NUDELPFANNE

Für 4 Personen:

240 g Nudeln, trocken (z. B. Farfalle)
Salz
120 g roher Schinken, ohne Fett
2 Auberginen
1 Gemüsezwiebel
4 Tomaten
150 ml Gemüsebrühe (1 TL Instant)
100 g Mais (Konserve)
Pfeffer
Rosmarin
120 g Schafkäse

1. Nudeln nach Packungsanleitung in kochendem Salzwasser bissfest garen. Schinken und Auberginen in Würfel schneiden. Gemüsezwiebel in Ringe schneiden, Tomaten überbrühen, häuten, entkernen und in Würfel schneiden.

2. Schinkenwürfel in einer beschichteten Pfanne knusprig braten. Zwiebelringe und Auberginenwürfel zufügen, mit Gemüsebrühe ablöschen und ca. 10 Minuten garen.

3. Tomatenwürfel, abgetropfte Nudeln und Mais unterrühren und mit Pfeffer und Rosmarin würzen. Schafkäse würfeln. Nudelpfanne pikant abschmecken und mit Schafkäse bestreut servieren.

Zubereitungszeit: ca. 15 Minuten
Garzeit: ca. 20 Minuten

Pro Person: 6 POINTS

PENNE ITALIA

Für 1 Person:

60 g Spiralnudeln, trocken
Salz
1 Zwiebel
2 Karotten
200 g passierte Tomaten (Konserve)
½ kleines Glas trockener Rotwein
1 TL Zimt
Paprikapulver
3 EL geriebener Käse (32% Fett i. Tr.)
100 g fettarmer Joghurt
2 TL Balsamicoessig
einige Tropfen flüssiger Süßstoff
½ Kopf Friséesalat

1. Nudeln nach Packungsanweisung in reichlich Salzwasser bissfest garen.

2. Zwiebel fein würfeln, Karotten in Scheiben schneiden und beides in einer beschichteten Pfanne unter Rühren fettfrei anbraten. Tomaten und Rotwein zugeben, mit Zimt würzen und mit Salz und Paprikapulver abschmecken.

3. Nudeln und Sauce vermengen und in eine Auflaufform füllen. Käse darüber streuen und im vorgeheizten Backofen bei 200 Grad (Gas: Stufe 3) ca. 15 Minuten überbacken.

4. Joghurt mit Essig verrühren und mit Süßstoff abschmecken. Salat in mundgerechte Stücke zupfen, mit dem Dressing vermengen und mit Penne Italia servieren.

Zubereitungszeit: ca. 15 Minuten
Garzeit: ca. 40 Minuten

Pro Person: 

PASTA MIT ZUCCHINISAUCE

1. Spaghetti in reichlich kochendem Salzwasser nach Packungsanweisung bissfest garen.

2. Zucchini und Knoblauchzehen würfeln und in einer beschichteten Pfanne fettfrei andünsten. Brühe angießen, pürieren und einkochen lassen. Saure Sahne einrühren und mit Salz und Pfeffer abschmecken.

3. Spaghetti mit gehackten Walnüssen vermischen und mit Zucchinisauce servieren.

Zubereitungszeit: ca. 5 Minuten
Garzeit: ca. 10 Minuten

Für 4 Personen:

240 g Spaghetti, trocken
Salz
4 mittelgroße Zucchini
3 Knoblauchzehen
200 ml Gemüsebrühe
(1 TL Instant)
120 g saure Sahne
Pfeffer
4 TL gehackte Walnüsse

Pro Person: 5 POINTS

NUDELN MIT RINDFLEISCHSAUCE

Für 4 Personen:

240 g Spiralnudeln, trocken
Salz
3 kleine Zwiebeln
400 g Sellerie
4 Karotten
4 Lauchzwiebeln
600 g stückige Tomaten (Konserve)
4 EL Tomatenmark
200 g Rinderbraten, mager, gegart
Pfeffer
4 TL gemischte italienische Kräuter
4 EL geriebener Käse (32% Fett i. Tr.)
einige Blätter frische Petersilie

1. Nudeln in reichlich kochendem Salzwasser nach Packungsanweisung bissfest garen.

2. Zwiebeln, Sellerie und Karotten würfeln, Lauchzwiebeln in Ringe schneiden und in einer beschichteten Pfanne fettfrei andünsten. Tomaten mit Tomatenmark zugeben. Rinderbraten würfeln, in die Sauce geben, erhitzen und mit Salz, Pfeffer und gemischten Kräutern pikant abschmecken.

3. Nudeln mit Fleischsauce anrichten, mit Käse bestreuen und mit Petersilie garniert servieren.

Zubereitungszeit: ca. 10 Minuten
Garzeit: ca. 10 Minuten

Pro Person: 5 POINTS

SPAGHETTI MIT TOMATEN-LACHSSAUCE

Für 4 Personen:

240 g Spaghetti, trocken
Salz
3 kleine Zwiebeln
4 Scheiben geräucherter Lachs (à 60 g)
4 EL Zitronensaft
400 g Kirschtomaten
120 g saure Sahne
4 TL gehackter Dill
Pfeffer
einige Tropfen flüssiger Süßstoff

Pro Person: 6 POINTS

1. Spaghetti in reichlich kochendem Salzwasser nach Packungsanweisung bissfest garen.

2. Zwiebeln würfeln und in einer beschichteten Pfanne fettfrei andünsten. Lachs in Würfel schneiden, zugeben und mit Zitronensaft beträufeln. Kirschtomaten halbieren, nach ca. 5 Minuten zum Fisch geben und kurz mitdünsten.

3. Saure Sahne zugeben und mit Dill, Salz, Pfeffer und Süßstoff abschmecken. Spaghetti mit Tomaten-Lachssauce anrichten.

Zubereitungszeit: ca. 5 Minuten
Garzeit: ca. 10 Minuten

Lachs

Lachse gehören zu den Edelfischen. Die Fische haben eine bewegte Kindheit: Sie werden im Süßwasser geboren und gelangen über Flüsse ins offene Meer. Dort verbringen sie bis zu 4 Jahre, um dann zum Laichen an ihren Geburtsort zurückzukehren. Dafür legen sie schon mal bis zu 1500 km zurück.
Im Pazifik tummeln sich fünf verschiedene Lachsfamilien: Riesenlachs, roter Lachs, Silberlachs, Buckellachs und Ketalachs. Die einzige Familie im Atlantik trägt auch seinen Namen: Atlantiklachs. Ein besonderer Lachs ist der Quananiche (kleiner Verlorener), denn er lebt im Süßwasser in kleinen Seen und Flüssen Nordamerikas und Skandinaviens.
Lachs wird hauptsächlich frisch, gefroren oder geräuchert angeboten.
Räucherlachs wird zur Haltbarmachung extra gesalzen. Meist müssen die Speisen, die mit Räucherlachs bereitet werden, nicht oder nur wenig zusätzlich gesalzen werden.
Übrigens, der bekannte und preiswerte Seelachs gehört nicht zur Lachsfamilie, sondern ist mit Dorsch und Kabeljau eng verwandt. Der Seelachs ist ein Schwarmfisch und lebt in der Nordsee und in den Gewässern Islands und Norwegens. Er gehört wie Lachs zu den beliebtesten Speisefischen in Deutschland.

RAVIOLI MIT RICOTTA-SPINAT-FÜLLUNG

Für 4 Personen:

370 g Hartweizengrieß
3 Eier
1 TL Salz
350 g frischer Spinat (ersatzweise 250 g TK)
125 g Ricotta
2 EL geriebener Parmesan (32 % Fett i. Tr.)
Pfeffer
geriebene Muskatnuss
4 EL Mehl
1 kg Tomaten
2 ½ Bund Basilikum
4 rote Zwiebeln
3 EL weißer Balsamicoessig
einige Tropfen flüssiger Süßstoff

1. Hartweizengrieß auf eine Arbeitsfläche geben, in die Mitte eine Vertiefung drücken, Eier, Salz und ca. 80 ml Wasser zugeben. Alles vermischen und den Teig gut durchkneten, bis er glatt und glänzend ist und abgedeckt ca. 20 Minuten ruhen lassen.

2. Spinat tropfnass in einem Topf bei schwacher Hitze zusammenfallen lassen, hacken, mit Ricotta und Parmesan mischen und mit Salz, Pfeffer und Muskatnuss kräftig würzen.

3. Arbeitsfläche mit Mehl ausstreuen und den Teig zu zwei Platten ausrollen. Auf eine Teigplatte im Abstand von etwa 4 cm jeweils ein Häufchen Spinat-Füllung setzen. Die andere Nudelplatte mit Wasser bestreichen und mit der feuchten Seite nach unten auflegen. Zwischenräume zwischen der Füllung mit den Fingern fest andrücken. Mit einem Teigrädchen die einzelnen Ravioli ausrädeln und in Salzwasser ca. 10 Minuten garen.

4. Tomaten würfeln, Basilikum grob hacken und Zwiebeln in Würfel schneiden. Zwiebeln in einer beschichteten Pfanne fettfrei andünsten. Tomatenwürfel zufügen und kurz andünsten. Mit Balsamicoessig, Süßstoff, Salz und Pfeffer würzen. Basilikum unterheben, kurz aufkochen und zu den Ravioli servieren.

Zubereitungszeit: ca. 25 Minuten
Ruhezeit: ca. 20 Minuten
Garzeit: ca. 10 Minuten

SPAGHETTI MIT TOMATEN-AUBERGINEN-SAUCE

Für 4 Personen:

240 g Spaghetti, trocken
Salz
2 Zwiebeln
1 Knoblauchzehe
2 Auberginen
480 g geschälte Tomaten (Konserve)
Pfeffer
Paprikapulver

1. Spaghetti in reichlich Salzwasser nach Packungsanweisung bissfest garen.

2. Zwiebeln würfeln, Knoblauchzehe zerdrücken und in einer beschichteten Pfanne fettfrei glasig dünsten.

3. Auberginen würfeln, hinzufügen und mit Tomaten ablöschen. Tomaten-Auberginen-Sauce mit Salz, Pfeffer und Paprikapulver kräftig abschmecken und zu den Spaghetti servieren.

Zubereitungszeit: ca. 10 Minuten
Garzeit: ca. 15 Minuten

Aubergine: die violette Verführung

Früher trugen Auberginenpflanzen nur weiße oder gelbe Früchte in der Größe eines Hühnereies. Daher kommt der Name »Eierfrucht«. Die heute gängigen Sorten haben glänzende, schwarze bis »auberginenfarbige« (= braun-lila) Früchte mit einer birnenförmigen Gestalt. In der Küche werden Auberginen vielseitig verwendet, z.B. gekocht, gedünstet, gebraten, gebacken, gegrillt oder püriert. Die Würzung spielt bei Auberginen eine große Rolle, da sie keinen ausgeprägten Eigengeschmack haben. Zu Auberginen passen Knoblauch, Chilipulver, Currypulver, Lorbeer, Petersilie, Piment sowie auch Rosmarin besonders gut.

FARFALLE MIT RUCOLA-TOMATEN-SAUCE

Für 4 Personen:

240 g Farfalle trocken
Salz
2 Zwiebeln
1 Knoblauchzehe
6 Tomaten
2 TL Olivenöl
500 g Rucola
Saft einer Zitrone
Pfeffer
4 EL geriebener Parmesan
(32 % Fett i. Tr.)

1. Nudeln nach Packungsanweisung in reichlich Salzwasser bissfest garen.

2. Zwiebeln, Knoblauchzehe und Tomaten würfeln. Öl in einer Pfanne erhitzen, Zwiebel- und Knoblauchwürfel darin glasig anschwitzen, Tomatenwürfel zufügen und ca. 5 Minuten garen.

3. Rucola hinzugeben, zusammenfallen lassen und mit Zitronensaft, Salz und Pfeffer abschmecken. Farfalle mit Rucola-Tomaten-Sauce und Parmesan bestreut servieren.

Zubereitungszeit: ca. 5 Minuten
Garzeit: ca. 15 Minuten

GEMÜSE-REIS-SALAT

Für 4 Personen:

1 TL Kurkumapulver (ersatzweise Currypulver)
¼ TL Safranfäden
¼ TL Kreuzkümmelpulver (Cumin)
1 Msp. Zimt
1 Msp. Muskatnuss, gerieben
Salz
Pfeffer
200 g Naturreis, trocken (z.B. Uncle Ben's)
2 Tomaten
2 kleine Zucchini
2 Karotten
250 g Spinat (ersatzweise 200 g TK)
5 Frühlingszwiebeln
2 TL Gemüsebrühe (1 Prise Instant)

1. ½ Liter Wasser mit Kurkuma, Safran, Kreuzkümmelpulver, Zimt, Muskat, Salz und Pfeffer zum Kochen bringen, Reis zugeben und bei schwacher Hitze ca. 20 Minuten garen, bis der Reis körnig ist.

2. Tomaten entkernen und vierteln, 1 Zucchini und 1 Karotte grob raspeln, Spinat in breite Streifen schneiden und die Hälfte der Frühlingszwiebeln in fingerlange Stücke schneiden. Frühlingszwiebeln, Spinat, die Hälfte der Tomatenviertel, grob geraspelte Zucchini und Karotte in eine beschichtete Pfanne geben und unter ständigem Rühren ca. 5 Minuten dünsten. Brühe zufügen und verrühren.

3. Restliche Karotte und Zucchini in Scheiben und verbliebene Frühlingszwiebeln in Ringe schneiden. Reis mit gedünstetem Gemüse vermischen, Karotten-, Zucchinischeiben und Frühlingszwiebelringe unterheben.

Zubereitungszeit: ca. 20 Minuten
Garzeit: ca. 25 Minuten

Pro Person: 2,5 POINTS

Kurkuma

Kurkuma, auch Gelbwurzel, Chinesische Wurzel, Indischer Safran, Gelber Ingwer oder Turmerik genannt, gehört zu der Familie der Ingwergewächse und stammt ursprünglich aus Südostasien. Indien ist heute sowohl der wichtigste Produzent, als auch der größte Konsument des einst heiligen Gewürzes. Kurkuma wird gerne als Ersatz für das teure Safran verwendet. In der indischen und asiatischen Küche ist Kurkuma eine unabdingbare Zutat. Die Farbe gibt hier die Qualität an, je intensiver, desto besser ist das Gewürz.

PROVENZALISCHE REISPFANNE

Für 4 Personen:

1 Knoblauchzehe
2 Zwiebeln
2 TL Olivenöl
160 g Risottoreis (ersatzweise Langkornreis)
3 EL Tomatenmark
450 ml Gemüsebrühe (3 TL Instant)
3 gelbe Paprikaschoten
3 Zucchini
Pfeffer
Paprikapulver
Kräuter der Provence

1. Knoblauchzehe zerdrücken, Zwiebeln fein würfeln und beides im erhitzten Olivenöl in einer Pfanne kurz andünsten. Reis zufügen und unter Rühren glasig andünsten. Tomatenmark unterrühren, die Hälfte der Gemüsebrühe angießen und im geschlossenen Topf ca. 20 Minuten garen.

2. Paprikaschoten in Streifen, Zucchini halbieren und in Stücke schneiden. Gemüse nach ca. 10 Minuten unter das Risotto heben und mit Pfeffer, Paprika und Kräutern würzen. Risotto mehrmals umrühren, nach und nach die restliche Brühe angießen. Reispfanne abschmecken und servieren.

Zubereitungszeit: ca. 15 Minuten
Garzeit: ca. 25 Minuten

Pro Person: 2,5 POINTS

FEINE REIS-CASHEW-PFANNE

Für 4 Personen:

FÜR DIE REIS-CASHEW-PFANNE:
200 g Langkornreis, trocken
Salz
Currypulver
6 Zwiebeln
3 Knoblauchzehen
2 TL Erdnussöl
(ersatzweise Pflanzenöl)
300 g Mais (Konserve)
50 g Cashewnüsse
6 EL Rosinen
Pfeffer

FÜR DEN CHICORÉE-FRUCHT-SALAT:
2 kleine Papaya
(ersatzweise Orangen)
4 Chicorée-Stauden
100 ml Orangensaft,
ohne Zucker
1 Msp. abgeriebene
Orangenschale
3 EL Apfelessig
2 TL mittelscharfer Senf
3 TL Sonnenblumenöl
einige Tropfen flüssiger
Süßstoff

1. Reis nach Packungsanweisung in Salzwasser zusammen mit 2 Esslöffeln Currypulver garen. Zwiebeln fein würfeln und Knoblauch hacken. Öl in einer Pfanne erhitzen und Zwiebeln und Knoblauch darin anbraten. Mais, Reis, Cashewnüsse und Rosinen zugeben und alles mit Salz, Pfeffer und Currypulver abschmecken.

2. Für den Salat Papaya in Würfel, Chicorée in Streifen schneiden und beides mischen. Für das Dressing Orangensaft, -schale, Essig, Senf und Öl verrühren, mit Salz, Pfeffer und Süßstoff abschmecken und mit den Salatzutaten mischen. Reis-Cashew-Pfanne mit dem Salat servieren.

Zubereitungszeit: ca. 25 Minuten
Garzeit: ca. 30 Minuten

Pro Person: 7,5 POINTS

FEURIGE REISPFANNE

Für 4 Personen:

1 Knoblauchzehe
2 rote Chilischoten
1 Bund Frühlingszwiebeln
je 2 rote und gelbe Paprikaschoten
2 TL Olivenöl
240 g Tatar
Salz
Pfeffer
Paprikapulver
320 g gegarter Reis
200 g Mais (Konserve)
400 g geschälte Tomaten (Konserve)
Kurkuma
einige Petersilienblätter

1. Knoblauchzehe zerdrücken, Chilischoten entkernen und in feine Streifen schneiden. Frühlingszwiebeln in Ringe und Paprikaschoten in Rauten schneiden.

2. Öl in einer Pfanne erhitzen, Tatar mit Knoblauch und Chilistreifen zufügen, krümelig anbraten und mit Salz, Pfeffer und Paprikapulver würzen. Frühlingszwiebelringe und Paprikastücke zufügen und ca. 5 Minuten garen.

3. Reis und Mais zugeben, kurz anbraten und mit Tomaten ablöschen. Reispfanne ca. 5 weitere Minuten garen, mit Paprikapulver und Kurkuma abschmecken und mit Petersilie garniert servieren.

Zubereitungszeit: ca. 15 Minuten
Garzeit: ca. 15 Minuten

Pro Person: 

WÜRZIGES SCHASCHLIK AUF TOMATEN-REIS-BETT

Für 4 Personen:

160 g Reis, trocken
Salz
2 Knoblauchzehen
6 Tomaten
Paprikapulver
Pfeffer
1 Bund Basilikum
720 g Hähnchenbrustfilet
2 gelbe Paprikaschoten

1. Reis nach Packungsanweisung in Salzwasser garen.

2. Knoblauchzehen zerdrücken, Tomaten würfeln und in einer beschichteten Pfanne fettfrei ca. 5 Minuten dünsten. Reis hinzu geben und mit Paprikapulver, Salz und Pfeffer würzen. Basilikum grob hacken und darunter mengen.

3. Hähnchenbrustfilet und Paprikaschoten grob würfeln, abwechselnd auf Spieße stecken und mit Salz, Pfeffer und Paprikapulver würzen. Brat-Folie in einer Pfanne erhitzen und Spieße darauf ca. 5 Minuten rundherum braten und auf Tomaten-Reis anrichten.

Zubereitungszeit: ca. 10 Minuten
Garzeit: ca. 25 Minuten

Pro Person: 5 POINTS

GEMÜSE-GERICHTE

GEMÜSE-PUFFER MIT KRÄUTERDIP

Für 4 Personen:

1 Zwiebel
4 Karotten
1 kleine Zucchini
½ Sellerieknolle
4 mittelgroße Kartoffeln
6 EL Mehl
3 Eier
1 TL gehackte Nüsse
Salz
Cayennepfeffer
Knoblauchpulver
450 g Magerquark
1 EL Zitronensaft
1 TL Thymian, gehackt
1 TL Oregano, gehackt
1 TL Basilikum, gehackt
Pfeffer

1. Zwiebel würfeln. Karotten, Zucchini, Sellerie und Kartoffeln raspeln. Mehl mit 1 Esslöffel Wasser und Eiern verrühren. Zwiebelwürfel, geraspelte Karotten, Zucchini, Sellerie, Kartoffeln und Nüsse unterrühren. Mit Salz, Cayennepfeffer und Knoblauch abschmecken.

2. Aus der Masse kleine Puffer formen und diese in einer beschichteten Pfanne von beiden Seiten auf Brat-Folie knusprig braun braten. Quark mit Zitronensaft verrühren, Kräuter unterheben, mit Salz und Pfeffer abschmecken und Kräuter-Dip zu den Gemüse-Puffern servieren.

Zubereitungszeit: ca. 25 Minuten
Garzeit: ca. 15 Minuten

AUBERGINEN-GEMÜSE

1. Kartoffeln in kochendem Salzwasser 20 Minuten garen. Gurken halbieren und entkernen. Gurken und Auberginen würfeln, beides salzen, 10 Minuten ziehen lassen und abspülen. Sellerie in Scheiben schneiden. Tomaten entkernen und achteln. Auberginenwürfel, Selleriescheiben und Gurkenwürfel in heißem Olivenöl in einer beschichteten Pfanne anbraten, Gemüsebrühe angießen, aufkochen lassen und zugedeckt 10 Minuten schmoren lassen.

2. Knoblauch zerdrücken und zugeben. Mit Pfeffer, Basilikum und Salz würzen. Oliven, Kapern und Tomatenachtel zugeben, mit Essig und Zucker süß-sauer abschmecken und weitere 10 Minuten bei geringer Hitze schmoren lassen. Auberginengemüse mit Kartoffeln auf Tellern anrichten und servieren.

Zubereitungszeit: ca. 15 Minuten
Garzeit: ca. 25 Minuten

Für 4 Personen:

800 g Kartoffeln
Salz
3 Schmorgurken
2 Auberginen
1 Stange Bleichsellerie
4 Tomaten
2 TL Olivenöl
150 ml Gemüsebrühe
(1 TL Instant)
1 Knoblauchzehe
Pfeffer
1 TL Basilikum, gerebelt
(z. B. von Fuchs)
10 schwarze Oliven,
ohne Stein
1 EL Kapern
2 EL Weißweinessig
1 EL Zucker

ZUCCHINI MIT POLENTA-FÜLLUNG

Für 4 Personen:

2 Zucchini
1 Karotte
1 Stange Bleichsellerie
2 Frühlingszwiebeln
1 Knoblauchzehe
2 TL Pflanzenöl
60 g Polenta (Maisgrieß)
10 g getrocknete Steinpilze (ersatzweise 5 Champignons)
350 ml Gemüsebrühe (2 TL Instant)
½ TL Thymian, gehackt
½ TL Rosmarinnadeln
Salz
Pfeffer
150 g Mozzarella (z.B. von Galbani)

1. Zucchini halbieren, entkernen und aushöhlen. Zucchinifruchtfleisch, Karotte und Sellerie würfeln, Frühlingszwiebeln in Ringe schneiden und Knoblauch zerdrücken. Gemüse in einer beschichteten Pfanne mit Öl ca. 5 Minuten andünsten. Polenta zugeben und mitdünsten. Steinpilze einweichen, abgießen, Einweichwasser auffangen, Steinpilze klein schneiden, mit der Hälfte der Gemüsebrühe und dem Einweichwasser zugeben, aufkochen und Polenta ca. 15 Minuten quellen lassen. Mit Thymian, Rosmarin, Salz und Pfeffer abschmecken.

2. Gemüsemischung in die Zucchinihälften füllen. Mozzarella abtropfen lassen, in Scheiben schneiden und auf Zucchinihälften verteilen. Die restliche Gemüsebrühe in eine Auflaufform geben, die gefüllten Zucchini hineinsetzen und bei 200 Grad (Gas: Stufe 3) im vorgeheizten Backofen ca. 20 Minuten überbacken.

Zubereitungszeit: ca. 15 Minuten
Garzeit: ca. 40 Minuten

Pro Person: 3,5 POINTS

EXOTISCHE THAIPFANNE

Für 4 Personen:

1 kleine Zwiebel
1 Knoblauchzehe
240 g Tatar
1 Eigelb
Salz
1 TL Currypulver
3 TL Pflanzenöl
je 1 rote, gelbe und grüne Paprikaschote
1 Bund Frühlingszwiebeln
1 Stängel Zitronengras
300 ml Tomatensaft
1 EL rote Currypaste (ersatzweise 1 TL Currypulver)
einige Tropfen flüssiger Süßstoff
Pfeffer
320 g gegarter Basmati-Reis
2 EL gehackte Petersilie

1. Zwiebel und Knoblauch fein hacken, mit Tatar, Eigelb, Salz und Currypulver vermischen. Masse zu kleinen Bällchen formen, in erhitztem Pflanzenöl rundherum braten und herausnehmen.

2. Paprikaschoten in Streifen, Frühlingszwiebeln und Zitronengras in Stücke schneiden. Beides im verbliebenen Bratfett anbraten, mit Tomatensaft ablöschen und ca. 10 Minuten köcheln lassen. Currypaste einrühren, mit Süßstoff, Salz und Pfeffer kräftig abschmecken. Fleischbällchen zufügen und kurz erhitzen. Thaipfanne mit Basmati-Reis und Petersilie bestreut servieren.

Zubereitungszeit: ca. 25 Minuten
Garzeit: ca. 25 Minuten

Pro Person:

Tabasco
Tabasco ist die wohl bekannteste Pfeffersauce der Welt, die schon in kleinen Tropfen für eine große Wirkung sorgt. Der Name der Pfefferschoten-Salz-Paste stammt aus dem Indianischen, bedeutet so viel wie »heißes feuchtes Land« und spiegelt die extra scharfe Würze wider.
Aus Chilischoten erzeugt, reift Tabasco zunächst 3 Jahre in Eichenfässern, bevor es dann mit Branntweinessig versetzt wird. In der Küche findet Tabasco zum Würzen von Fleisch-, Reis- und Eierspeisen, Gemüsen, Salaten, Suppen und Saucen, aber auch Mixgetränken Verwendung.

SELLERIE MIT KÄSECREME

1. Sellerieknolle schälen und im Ganzen in reichlich Salzwasser ca. 35 Minuten garen.

2. Margarine in einem Topf zerlassen, Mehl darüber stäuben und hellgelb anschwitzen. Nach und nach Milch angießen und zu einer glatten Sauce verrühren. Kräuter hinzugeben und mit Salz, Pfeffer und Muskatnuss abschmecken.

3. Sellerieknolle aushöhlen, dabei einen etwa 2 cm dicken Rand stehen lassen. Ei trennen, Eiweiß mit einer Prise Salz steif schlagen. Sellerie-Inneres pürieren und mit Eigelb und Käse in die Sauce geben. Eischnee unterziehen und alles in die ausgehöhlte Sellerieknolle füllen. Sellerie im vorgeheizten Backofen bei 200 Grad (Gas: Stufe 3) ca. 20 Minuten backen. Sellerie mit Kartoffelpüree servieren.

Zubereitungszeit: ca. 20 Minuten
Garzeit: ca. 60 Minuten

Für 2 Personen:

1 Sellerieknolle
Salz
1 TL Pflanzenmargarine
1 EL Mehl
60 ml fettarme Milch
2 TL gehackte Kräuter
Pfeffer
1 Prise geriebene Muskatnuss
1 Ei
4 EL geriebener Käse (32% Fett i. Tr.)
8 EL Kartoffelpüree/-stock, verzehrfertig

Pro Person: 4 POINTS

GEFÜLLTE TOMATEN

Für 4 Personen:

8 Fleischtomaten
1 große Zwiebel
150 g Champignons
2 TL Pflanzenöl
150 g Blattspinat (TK)
Salz
Pfeffer
4 EL geriebener Käse (32 % Fett i. Tr.)
160 g Reis, trocken

1. Tomatendeckel abschneiden und Tomaten aushöhlen. Zwiebel und Champignons würfeln. Öl in einer Pfanne erhitzen, Zwiebel- und Champignonwürfel mit Spinat ca. 5 Minuten darin andünsten. Mit Salz und Pfeffer abschmecken.

2. Tomaten in eine Auflaufform setzen, Gemüsemasse einfüllen, mit Käse bestreuen und Tomatendeckel zufügen. Gefüllte Tomaten im vorgeheizten Backofen bei 200 Grad (Gas: Stufe 3) ca. 20 Minuten garen.

3. Reis nach Packungsanweisung in Salzwasser ca. 20 Minuten garen und zu den Tomaten servieren.

Zubereitungszeit: ca. 10 Minuten
Garzeit: ca. 25 Minuten

Pro Person: 3 POINTS

LEICHTES PFANNENGEMÜSE

Für 4 Personen:

4 Zucchini
4 Karotten
2 Kohlrabi
3 gelbe Paprikaschoten
2 Knoblauchzehen
4 TL Olivenöl
3 EL Balsamicoessig
1 Bund glatte Petersilie
1 Bund Basilikum
8 Salbeiblätter
Salz
weißer Pfeffer

1. Zucchini und Karotten in Scheiben, Kohlrabi in Stifte, Paprikaschoten in Streifen und Knoblauchzehen in Würfel schneiden. Öl in einer Pfanne erhitzen, das Gemüse darin ca. 5 Minuten dünsten und mit Balsamicoessig ablöschen.

2. Petersilie, Basilikum und Salbei fein hacken, zum Pfannengemüse geben und alles mit Salz und Pfeffer abschmecken.

Zubereitungszeit: ca. 10 Minuten
Garzeit: ca. 5 Minuten

Pro Person: 1 POINT

BUNTE RÖSCHEN MIT ZITRONENSAUCE

1. Blumenkohl, Broccoli und Romanesco in Röschen teilen, in kochender Gemüsebrühe ca. 10 Minuten dünsten, abgießen und 200 ml Kochwasser auffangen.

2. Margarine zerlassen, mit Mehl bestäuben und anschwitzen. Kochwasser und Milch unter Rühren angießen, aufkochen lassen und Schmelzkäse unterrühren. Mit Salz, Pfeffer, Süßstoff und Zitronensaft pikant abschmecken und zum Gemüse servieren.

Zubereitungszeit: ca. 10 Minuten
Garzeit: ca. 10 Minuten

Für 4 Personen:

600 g Blumenkohl
600 g Broccoli
600 g Romanesco
1 Liter Gemüsebrühe (4 TL Instant)
4 TL Halbfettmargarine
2 TL Mehl
250 ml fettarme Milch
4 EL Schmelzkäse (45 % Fett i. Tr.)
Salz
Pfeffer
einige Tropfen flüssiger Süßstoff
3 EL Zitronensaft

Pro Person: 

Romanesco, der grüne Türmchenblumenkohl

In Italien und Frankreich sind farbige Blumenkohlsorten sehr beliebt. Zu ihnen gehört der hellgrüne Romanesco. Aber auch in unseren Gemüseregalen findet man diesen Vertreter der Blumenkohlfamilie immer häufiger. Charakteristisch sind die »minarettförmigen« Röschen, weshalb er häufig auch einfach nur Türmchenblumenkohl genannt wird. Übrigens ist diese Sorte nicht nur sehr dekorativ, sondern hat höhere Vitamin- und Mineralstoffgehalte als der weiße Blumenkohl. Romanesco wird wie herkömmlicher Blumenkohl zubereitet, er wird ganz oder zerteilt in Salzwasser gegart und dann nach Belieben weiter verarbeitet.

LEICHTE LAUCHWICKEL

Für 4 Personen:

4 Stangen Lauch
8 dünne Scheiben gekochter Schinken
500 ml Gemüsebrühe (2 TL Instant)
2 EL gemischte Kräuter
Pfeffer
Currypulver
8 EL geriebener Käse (32 % Fett i. Tr.)
160 g Langkorn- und Wildreis, trocken
Salz

1. Lauch in acht ca. 10 cm lange Stücke, restlichen Lauch in Ringe schneiden. Lauchstücke jeweils mit einer Scheibe Kochschinken umwickeln und in eine große Auflaufform setzen.

2. Gemüsebrühe aufkochen, Lauchringe und gemischte Kräuter zugeben und mit Pfeffer und Currypulver würzen. Sauce über die Lauchwickel gießen, mit Käse bestreuen und im vorgeheizten Backofen bei 200 Grad (Gas: Stufe 3) ca. 20 Minuten garen.

3. Reis nach Packungsanweisung in Salzwasser ca. 20 Minuten garen und zu den Lauchwickeln servieren.

Zubereitungszeit: ca. 15 Minuten
Garzeit: ca. 25 Minuten

Pro Person: 5 POINTS

GEBACKENER GEMÜSE-SCHAFKÄSE

Für 1 Person:

2 Tomaten
1 rote Paprikaschote
Salz
Bunter Pfeffer
½ TL Kräuter der Provence
1 Stück Schafkäse (60 g)
1 kleine Zwiebel
200 g grüne Bohnen (Konserve)
1 TL Sonnenblumenöl
3 EL Essig
1 TL Senf
1 kleines Stück Fladenbrot (50 g)

Pro Person: 

1. Tomaten und Paprikaschote fein würfeln, in eine Auflaufform geben und mit Salz, Pfeffer und Kräutern der Provence bestreuen.

2. Schafkäse zerbröseln, über das Gemüse geben und im vorgeheizten Backofen bei 175 Grad (Gas: Stufe 2) ca. 10 Minuten backen.

3. Zwiebel in feine Ringe schneiden und mit Bohnen vermengen. Öl mit Essig und Senf verrühren, mit Salz und Pfeffer abschmecken und zum Salat geben. Fladenbrot in kleine Stücke schneiden. Gemüse-Schafkäse mit Salat und Brot servieren.

Zubereitungszeit: ca. 5 Minuten
Garzeit: ca. 10 Minuten

Tipp
Wenn Sie das Fladenbrot lieber knusprig mögen, schneiden Sie es ein, bedecken es mit der Tomaten-Paprika-Schafkäsemasse und backen es im Ofen knusprig braun.

ZUCCHINI-TOPF

Für 4 Personen:

4 Zwiebeln
4 Zucchini
400 g Schweinefleisch, mager, gegart
100 ml Gemüsebrühe (½ TL Instant)
1 Dose geschälte Tomaten
4 TL italienische Kräuter
Salz
Pfeffer
1 kg gekochte Kartoffeln

1. Zwiebeln fein hacken, Zucchini halbieren, in Scheiben schneiden und Fleisch würfeln. Zwiebeln und Fleisch in einer beschichteten Pfanne fettfrei anbraten.

2. Zucchini zugeben, kurz mitdünsten, Gemüsebrühe und Tomaten zugeben und ca. 5 Minuten schmoren lassen. Mit Kräutern, Salz und Pfeffer abschmecken.

3. Zucchini-Topf mit gekochten Kartoffeln anrichten und servieren.

Zubereitungszeit: ca. 5 Minuten
Garzeit: ca. 10 Minuten

Pro Person: 4,5 POINTS

FALAFEL MIT GEMÜSE

Für 4 Personen:

160 g getrocknete Kichererbsen (ersatzweise 325 g Konserve)
1 Knoblauchzehe
1 kleine Zwiebel
1 grüne Chilischote, entkernt
je 1 EL frische gehackte Petersilie und Korianderkraut
2 EL Paniermehl
Salz
Pfeffer
4 Karotten
1 Gurke
je 2 rote und grüne Paprikaschoten
1 Kopf Eisbergsalat
200 g fettarmer Joghurt
50 g Edle Pastete »Madras Curry« (z.B. Tartex)
4 kleine Tortillafladen (à 30 g) (Fertigprodukt)
1 TL Pflanzenöl
1 TL französische Kräuter
1 TL Zitronensaft
einige Tropfen flüssiger Süßstoff

1. Kichererbsen in 2 Tassen Wasser ca. 12 Stunden einweichen, abgießen und in der Küchenmaschine fein zerkleinern. Knoblauch, Zwiebel und Chilischote fein hacken. Kichererbsen mit Petersilie, Korianderkraut, Knoblauch, Zwiebel, Paniermehl, Chili, Salz und Pfeffer pürieren, Masse ca. 30 Minuten ruhen lassen, zu kleinen Bällen formen und weitere ca. 15 Minuten ruhen lassen. In einer Pfanne Brat-Folie erhitzen und Kichererbsenbällchen rundherum ca. 10 Minuten anbraten.

2. Karotten, Gurke und Paprikaschoten würfeln. Eisbergsalat in mundgerechte Stücke zupfen und mit Gemüse vermischen. Joghurt mit Madras Curry verrühren. Tortillafladen in einer beschichteten Pfanne kurz von beiden Seiten erhitzen, herausnehmen, mit Curry-Creme bestreichen, mit der Hälfte des Salates und Kichererbsenbällchen belegen, aufrollen und auf Tellern anrichten.

3. Restlichen Joghurt mit Öl, Kräutern und Zitronensaft verrühren, mit Salz, Pfeffer und Süßstoff abschmecken. Sauce über restlichen Salat geben. Falafel-Tasche und Salat servieren.

Zubereitungszeit: ca. 25 Minuten
Einweichzeit: ca. 12 Stunden
Ruhezeit: ca. 45 Minuten
Garzeit: ca. 10 Minuten

GEMÜSE INDONESIA

Für 4 Personen:

4 kleine Zwiebeln
1 rote Chilischote
200 g Karotten
2 rote Paprikaschoten
1 Zucchini
250 g Broccoli
2 TL Pflanzenöl
1 TL Ingwerpulver
2 EL brauner Zucker
100 ml Weißweinessig
Salz
200 g kleine Maiskolben (Konserve)
200 g Bambussprossen (Konserve)
100 g Sojabohnenkeimlinge (Konserve)
einige Tropfen flüssiger Süßstoff
360 g gegarter Spitzen-Langkorn-Reis (z.B. Uncle Ben's)

1. Zwiebeln vierteln, Chilischote entkernen und in Ringe schneiden. Karotten und Paprikaschoten in Stücke und Zucchini längs in dünne Streifen schneiden. Broccoli in Röschen teilen.

2. Öl in einem breiten Topf erhitzen, Zwiebeln und Chiliringe darin glasig andünsten. Karotten und Broccoli zugeben und kurz anbraten. Ingwerpulver, Zucker, Essig und 250 ml Wasser unter das Gemüse rühren. Salzen und zugedeckt ca. 5 Minuten garen. Restliches Gemüse zufügen, alles weitere 10 Minuten garen. Mit Salz und Süßstoff abschmecken und mit Reis servieren.

Zubereitungszeit: ca. 10 Minuten
Garzeit: ca. 20 Minuten

Pro Person: 3,5 POINTS

KERNIGER BURGER MIT PAPRIKA-KÄSE-FÜLLUNG

Für 1 Person:

2 Lauchzwiebeln
1 Knoblauchzehe
1 Chilischote
2 grüne und 1 rote Paprikaschote
1 TL Pflanzenöl
75 ml Gemüsebrühe (½ TL Instant)
Salz
Pfeffer
Paprikapulver
2 TL gehackte Petersilie
1 Mehrkornbrötchen
2 EL geriebener Käse (32% Fett i. Tr.)

1. Lauchzwiebeln in feine Ringe schneiden, Knoblauchzehe und Chilischote fein hacken und Paprikaschoten in feine Streifen schneiden. Öl in einer Pfanne erhitzen und das vorbereitete Gemüse ca. 5 Minuten darin andünsten.

2. Gemüsebrühe angießen und alles mit Salz, Pfeffer sowie Paprikapulver pikant abschmecken, zum Schluss Petersilie untermischen. Brötchen aufschneiden, die untere Hälfte mit einem Teil des warmen Paprikagemüses belegen, mit geriebenem Käse bestreuen und mit zweiter Brötchenhälfte abdecken. Kernigen Burger mit restlichem Paprikagemüse servieren.

Zubereitungszeit: ca. 10 Minuten
Garzeit: ca. 5 Minuten

Pro Person: 4 POINTS

MANGOLD-PÄCKCHEN MIT TOFU

Für 4 Personen:

800 g Mangold
3 Tomaten
150 g Mozzarella
4 Tofuscheiben (150 g)
4 EL Würzsenfsauce (z.B. Würz- und Rouladentraum von Löwensenf)
2 rote Paprikaschoten
2 Zwiebeln
1 Knoblauchzehe
300 ml Gemüsebrühe (2 TL Instant)
Salz
Pfeffer
4 Ecken Fladenbrot (à 50 g)

1. 12 Mangoldblätter abnehmen und blanchieren. Tomaten und abgetropften Mozzarella in Scheiben schneiden. Blanchierte Mangoldblätter ausbreiten, Tofuscheiben von beiden Seiten dünn mit Würzsenfsauce bestreichen und darauf setzen. Mit je 1 Tomaten- und Mozzarellascheibe belegen, alles mit Mangold umwickeln, eventuell mit Küchengarn zusammenbinden und in Aluminiumfolie einschlagen. Mangold-Päckchen im Backofen bei 250 Grad (Gas: Stufe 4) 15 Minuten grillen.

2. Restlichen Mangold in Stücke und Paprika in Streifen schneiden. Zwiebeln und Knoblauch fein würfeln. Gemüsebrühe in einem Topf erhitzen, Gemüse hineingeben, 10 Minuten garen und mit Salz und Pfeffer pikant abschmecken. Mangold-Päckchen mit Fladenbrot und Mangoldgemüse servieren.

Zubereitungszeit: ca. 20 Minuten
Garzeit: ca. 25 Minuten

Pro Person: 5,5 POINTS

GEFÜLLTER KOHLRABI

Für 4 Personen:

4 Kohlrabi
Salz
1 kleines Hähnchenbrustfilet (120 g)
4 Schalotten
100 g Champignons
2 kleine Karotten
100 g Spargel (Konserve)
4 EL saure Sahne
1 Prise geriebene Muskatnuss
1 TL Zitronensaft
Pfeffer
8 EL geriebener Käse (32% Fett i. Tr.)
einige Blätter Zitronenmelisse

1. Kohlrabi schälen, aushöhlen und das Kohlrabifleisch würfeln. Ausgehöhlte Kohlrabi in wenig Salzwasser ca. 10 Minuten vorgaren und 150 ml Kochwasser auffangen.

2. Hähnchenbrustfilet, Schalotten und Champignons würfeln, Karotten in Stücke schneiden. Fleischwürfel in einer beschichteten Pfanne fettfrei anbraten, geschnittenes Gemüse und Kohlrabiwürfel kurz mit anschwitzen. Kohlrabi-Kochwasser angießen und zugedeckt ca. 15 Minuten garen. Spargel in Stücke schneiden, mit der sauren Sahne unterrühren und mit Muskatnuss, Zitronensaft, Salz und Pfeffer abschmecken.

3. Fleisch-Gemüse-Masse in die Kohlrabi füllen. Kohlrabi und restliche Füllung in eine Auflaufform geben und mit Käse bestreut im vorgeheizten Backofen bei 200 Grad (Gas: Stufe 3) ca. 15 Minuten gratinieren. Kohlrabi mit Zitronenmelisse garniert servieren.

Pro Person: 

Zubereitungszeit: ca. 15 Minuten
Garzeit: ca. 40 Minuten

Bulgur
Bulgur ist ein vorgegarter Weizengrieß, der aus ganzen geschälten Weizenkörnern nach einem jahrtausendealten Verfahren hergestellt wird. Dabei wird das Getreide zuerst leicht gedämpft, anschließend getrocknet und dann mehr oder weniger fein zermahlen. Zu den gefüllten Kohlrabi schmeckt Bulgur sehr gut. Für 4 Personen garen Sie 160 g Bulgur ca. 15 Minuten in 600 ml Gemüsebrühe (2 TL Instant). Berechnen Sie pro Person (2 POINTS).

BLUMENKOHL-AUFLAUF

1. Blumenkohl in Röschen zerteilen und in kochendem Salzwasser ca. 5 Minuten blanchieren. Blumenkohl abtropfen lassen, mit Kartoffelpüree vermengen, mit Muskatnuss würzen und in eine flache feuerfeste Auflaufform geben.

2. Putenbrustfilet in Streifen schneiden und mit Mehl bestäuben. Öl in einer beschichteten Pfanne erhitzen und das Fleisch darin ca. 5 Minuten braten. Zwiebeln in Ringe schneiden, zum Fleisch geben und kurz mitgaren. Fleischmasse mit Salz und Pfeffer würzen und auf der Püreemasse verteilen.

3. Käse und Paniermehl mischen, über dem Auflauf verteilen und im vorgeheizten Backofen bei 200 Grad (Gas: Stufe 3) ca. 25 Minuten backen.

Für 4 Personen:

2 Köpfe Blumenkohl
Salz
640 g Kartoffelpüree/-stock, verzehrfertig
geriebene Muskatnuss
360 g Putenbrustfilet
1 EL Mehl
1 TL Pflanzenöl
2 Zwiebeln
Pfeffer
6 EL geriebener Käse (32 % Fett i. Tr.)
3 EL Paniermehl

Zubereitungszeit: ca. 10 Minuten
Garzeit: ca. 40 Minuten

Pro Person: 5 POINTS

CHICORÉE IM KASSLERMANTEL

Für 1 Person:

2 Chicorée
Salz
4 Scheiben Kassleraufschnitt
3 EL Frischkäse (30% Fett i. Tr.)
Saft von 2 Orangen (ersatzweise 100 ml Orangensaft, ohne Zucker)
Pfeffer
3 mittelgroße gekochte Kartoffeln
einige Blätter Petersilie

1. Chicorée längs halbieren, in Salzwasser ca. 10 Minuten blanchieren, mit jeweils einer Scheibe Kassleraufschnitt umwickeln und mit Holzspießen feststecken. Chicorée in eine mit Back-Folie ausgelegte Auflaufform legen.

2. Frischkäse mit Orangensaft verrühren und mit Salz und Pfeffer würzen. Frischkäsemasse über dem Chicorée verteilen und im vorgeheizten Backofen bei 200 Grad (Gas: Stufe 3) ca. 15 Minuten garen. Chicorée im Kasslermantel mit Kartoffeln und Petersilie garniert servieren.

Zubereitungszeit: ca. 10 Minuten
Garzeit: ca. 25 Minuten

Pro Person: 6 POINTS

SPANISCHE KARTOFFEL-PAPRIKA-TORTILLA

Für 1 Person:

1 Zwiebel
1 gelbe Paprikaschote
2 gekochte Kartoffeln
1 Ei
125 ml fettarme Milch
Salz
Pfeffer
geriebene Muskatnuss
2 Tomaten

1. Zwiebel in Ringe, Paprikaschote in Streifen und Kartoffeln in Scheiben schneiden. Ei und Milch verquirlen und mit Salz, Pfeffer und Muskatnuss kräftig würzen.

2. Zwiebelringe und Paprikastreifen in einer beschichteten Pfanne fettfrei anbraten. Kartoffelscheiben hinzugeben, mit Eimasse übergießen und bei mittlerer Hitze ca. 10 Minuten stocken lassen.

3. Tomaten in Spalten schneiden und dekorativ auf der Kartoffel-Paprika-Tortilla anordnen.

Zubereitungszeit: ca. 5 Minuten
Garzeit: ca. 15 Minuten

Pro Person: 5 POINTS

GEGRILLTE CHAMPIGNONS

Für 2 Personen:

12 Riesenchampignons
1 Knoblauchzehe
2 Scheiben roher Schinken, ohne Fett
4 Frühlingszwiebeln
6 EL Magerquark
½ kleines Glas trockener Weißwein
1 EL geriebener Käse (32% Fett i. Tr.)
1 TL Majoran
Salz
Pfeffer
4 Scheiben Baguettebrot

1. Stiele aus den Champignons herausdrehen.

2. Champignonstiele, Knoblauchzehe und Schinken fein würfeln, Frühlingszwiebeln in Ringe schneiden und alles in einer beschichteten Pfanne ca. 5 Minuten fettfrei braten. Quark, Wein und Käse unterrühren und alles mit Majoran, Salz und Pfeffer abschmecken.

3. Masse in die Champignonköpfe füllen und im vorgeheizten Backofen bei 200 Grad (Gas: Stufe 3) ca. 10 Minuten gratinieren. Champignons mit Baguette servieren.

Zubereitungszeit: ca. 10 Minuten
Garzeit: ca. 15 Minuten

Pro Person: 4 POINTS

TOMATEN IN KRÄUTERSAUCE

Für 2 Personen:

1 TL Halbfettmargarine
1 EL Mehl
150 ml Gemüsebrühe
(1 TL Instant)
60 ml fettarme Milch
1 Prise geriebene
Muskatnuss
Salz
Pfeffer
2 TL gehackte Kräuter
4 Fleischtomaten
1 rote Zwiebel
1 Knoblauchzehe
300 g Blattspinat
(frisch oder TK)
5 EL geriebener Käse
(32% Fett i. Tr.)

1. Margarine und Mehl verkneten. Gemüsebrühe und Milch aufkochen und mit „Mehlbutter" andicken. Sauce mit Muskatnuss, Salz und Pfeffer abschmecken und Kräuter unterrühren.

2. Von den Tomaten einen Deckel abschneiden, aushöhlen und Fruchtfleisch klein schneiden. Zwiebel und Knoblauchzehe fein würfeln und fettfrei anschwitzen. Spinat und Tomaten-Fruchtfleisch zugeben und mit Salz und Pfeffer würzen.

3. Spinatmasse in die Tomaten füllen und in eine Auflaufform legen. Kräutersauce angießen, Käse darüber streuen und im vorgeheizten Backofen bei 220 Grad (Gas: Stufe 3) ca. 10 Minuten gratinieren.

Zubereitungszeit: ca. 10 Minuten
Garzeit: ca. 20 Minuten

Pro Person: 2 POINTS

ZUCCHINI-SOUFFLÉ

Für 1 Person:

1 TL Pflanzenmargarine
1 EL Mehl
125 ml fettarme Milch
Salz
Pfeffer
1 Ei
3 EL Haferflocken
1 Zucchini
150 ml passierte Tomaten (Konserve)
1 TL Thymian

1. Margarine zerlassen, Mehl darin goldgelb rösten, mit Milch ablöschen, aufkochen und mit Salz und Pfeffer würzen. Ei trennen, Eigelb und Haferflocken in die Sauce rühren und etwas auskühlen lassen.

2. Eine größere Souffléform mit Back-Folie auskleiden. Zucchini in feine Streifen schneiden und in die Haferflocken-Masse geben. Eiklar mit 1 Prise Salz steif schlagen und vorsichtig unterheben.

3. Soufflé-Masse in die Form füllen und in eine mit Wasser gefüllte Fettpfanne oder Auflaufform stellen. Zucchini-Soufflé im vorgeheizten Backofen bei 175 Grad (Gas: Stufe 2) ca. 25 Minuten garen.

4. Tomaten erhitzen, mit Thymian, Salz und Pfeffer abschmecken und Tomatensauce zum Zucchini-Soufflé servieren.

Zubereitungszeit: ca. 20 Minuten
Garzeit: ca. 30 Minuten

Pro Person: 6 POINTS

SCHICHTGEMÜSE À LA GREEK

1. Squash, Gurken, Aubergine, Tomaten und Zwiebeln in Scheiben schneiden. Ein tiefes Backblech mit Öl einpinseln und Gemüsescheiben schuppenförmig überlappend darauf schichten.

2. Knoblauch zerdrücken. Käse mit Gemüsebrühe pürieren und mit saurer Sahne verquirlen. Knoblauch zugeben und mit Kräutersalz, Pfeffer, Thymian und Basilikum abschmecken. Schichtgemüse im vorgeheizten Backofen auf der mittleren Schiene bei 220 Grad (Gas: Stufe 3, Umluft: 200 Grad) ca. 25 Minuten backen.

Zubereitungszeit: ca. 20 Minuten
Backzeit: ca. 25 Minuten

Für 4 Personen:

2 Squash (Mini-Kürbis)
2 Salatgurken
1 kleine Aubergine
6 Fleischtomaten
2 Zwiebeln
2 TL Olivenöl
3 Knoblauchzehen
90 g Manouri
(ersatzweise Feta)
⅛ l Gemüsebrühe
(1 TL Instant)
300 g saure Sahne
Kräutersalz
Pfeffer
1 TL Thymian
1 TL Basilikum

Pro Person:

Manouri
Manouri ist ein Frischkäse aus Griechenland, der aus Schafs- oder Ziegenmolke hergestellt wird. Der Manouri wird in Kugel- oder Wurstform angeboten und kann ein Gewicht bis zu 1 Kilogramm haben. Da er in Folien zum Reifen gelagert wird, ist die weiße Oberfläche rindenlos. Der Manouri ist cremig aber dennoch schnittfest und daher zum Belegen sehr beliebt. Er eignet sich gut als Zugabe in Salaten und zum Überbacken von Aufläufen.

PFANNENGEMÜSE MIT BANDNUDELN

Für 4 Personen:

240 g Bandnudeln, trocken
Salz
1 Bund Lauchzwiebeln
4 Karotten
4 Stangen Bleichsellerie
4 Zucchini
400 g Champignons
2 Knoblauchzehen
4 TL Pflanzenöl
Pfeffer
4 EL Sojasauce
2 TL Reiswein (Mirin)
200 g Radieschensprossen (ersatzweise andere Sprossen)
4 EL gemischte Kerne (z.B. Kürbiskerne, Sonnenblumenkerne)

1. Bandnudeln in kochendem Salzwasser nach Packungsanweisung bissfest garen. Lauchzwiebeln in Ringe, Karotten und Sellerie in feine Scheiben und Zucchini in Stücke schneiden. Champignons halbieren und Knoblauch fein hacken.

2. Öl in einer tiefen Pfanne erhitzen, Knoblauch darin andünsten, Gemüse zugeben und unter Rühren ca. 10 Minuten garen. Mit Salz, Pfeffer, Sojasauce und Reiswein pikant abschmecken.

3. Sprossen mit den Kernen untermischen und Pfannengemüse zu Bandnudeln servieren.

Zubereitungszeit: ca. 20 Minuten
Garzeit: ca. 15 Minuten

Pro Person: 5,5 POINTS

ÜBERBACKENE ZUCCHINI

Für 1 Person:

2 Zucchini
4 Tomaten
4 Schalotten
4 EL Tatar (120 g)
Salz
Pfeffer
1 TL Kräuter der Provence
4 EL geriebener Käse (32 % Fett i. Tr.)
1 Brötchen

1. Die Zucchini längs halbieren, aushöhlen und Fruchtfleisch würfeln. Tomaten kreuzweise einschneiden, mit heißem Wasser überbrühen, häuten, halbieren und entkernen. Tomatenfleisch und Schalotten würfeln.

2. Zucchini-, Tomaten- und Schalottenwürfel sowie Tatar in einer beschichteten Pfanne fettfrei anbraten. Die Masse mit Salz, Pfeffer sowie Kräutern der Provence würzen und in die Zucchini füllen. Zucchini in eine Auflaufform setzen, mit geriebenem Käse bestreuen und im vorgeheizten Backofen bei 175 Grad (Gas: Stufe 2) ca. 15 Minuten überbacken. Mit Brötchen servieren.

Zubereitungszeit: ca. 10 Minuten
Garzeit: ca. 20 Minuten

Pro Person: 6 POINTS

GEFÜLLTE PAPRIKA ORIENTAL

Für 1 Person:

1 Tomate
1 rote Paprikaschote
1 Zwiebel
1 Lauchzwiebel
120 g gegarter Couscous
1 TL gehackte Pfefferminze
Salz
Pfeffer
75 g Magermilch-Joghurt
1 EL geriebener Käse (32 % Fett i. Tr.)

1. Tomate kreuzweise einschneiden, mit heißem Wasser überbrühen, häuten, halbieren und entkernen. Paprikaschote in kochendem Wasser blanchieren und einen Deckel abschneiden. Tomatenfleisch und Zwiebel würfeln, Lauchzwiebel in Ringe schneiden. Zwiebel in einer beschichteten Pfanne fettfrei andünsten.

2. Couscous, gedünstete Zwiebel, Tomatenwürfel und Lauchzwiebelringe mit Pfefferminze, Salz und Pfeffer abschmecken und in die Paprikaschote füllen. Paprikaschote in eine Auflaufform setzen. Joghurt und Käse mischen, über die Paprikaschote geben und im vorgeheizten Backofen bei 200 Grad (Gas: Stufe 3) ca. 8 Minuten überbacken.

Zubereitungszeit: ca. 10 Minuten
Garzeit: ca. 10 Minuten

Pro Person:

TOMATEN AUS DEM GRILL

Für 2 Personen:

4 Fleischtomaten
2 Schalotten
2 Knoblauchzehen
1 kleines Putenbrustfilet (120 g)
1 Hand voll Austernpilze (ersatzweise Champignons)
100 g Sojasprossen
1 Ei
2 EL Paniermehl
3 EL Frischkäse (30% Fett i. Tr.)
1 TL Sojasauce
Salz
Pfeffer
3 EL geriebener Käse (32% Fett i. Tr.)
300 ml Gemüsebrühe (2 TL Instant)
80 g Hirse, trocken

1. Von den Fleischtomaten einen Deckel abschneiden und aushöhlen. Schalotten, Tomatenfleisch und Knoblauchzehen fein würfeln, Putenbrustfilet und Austernpilze in Streifen schneiden und alles mit den Sojasprossen in einer beschichteten Pfanne zugedeckt ca. 5 Minuten dünsten.

2. Ei verquirlen, mit Paniermehl und Frischkäse vermengen und mit Sojasauce, Salz und Pfeffer würzen.

3. Das Gemüse-Putenfleisch mit Ei-Masse mischen und in die ausgehöhlten Tomaten füllen. Käse darüber streuen und im vorgeheizten Backofen bei 200 Grad (Gas: Stufe 3) ca. 20 Minuten backen.

4. Gemüsebrühe aufkochen, Hirse einrühren und ca. 10 Minuten kochen lassen. Gegrillte Tomaten mit Hirse servieren.

Zubereitungszeit: ca. 15 Minuten
Garzeit: ca. 30 Minuten

Pro Person: 

GEFÜLLTES GEMÜSE

Für 4 Personen:

FÜR DIE GEFÜLLTEN TOMATEN:

4 Tomaten
2 rote Zwiebeln
10 grüne Oliven, ohne Kern
6 EL Frischkäse
(30 % Fett i. Tr.)
100 g fettarmer Joghurt
2 EL gehackte Petersilie
Salz, Pfeffer
einige Blätter Petersilie

Pro Person: 1,5 POINTS

FÜR DIE GEFÜLLTEN MINI-PAPRIKA:

4 bunte Mini-Paprikaschoten
1 EL Pinienkerne
90 g Ziegenkäse
100 g fettarmer Joghurt
1 TL Honig
Salz
Pfeffer
bunter Pfeffer

Pro Person: 2 POINTS

FÜR DIE GEFÜLLTEN GURKEN:

1 Salatgurke
210 g Tunfisch im eigenen Saft (Konserve)
6 EL Frischkäse
(30 % Fett i. Tr.)
2 Gewürzgurken
2 EL Kapern
Salz, Pfeffer
einige Dillzweige

Pro Person:

1. Für die gefüllten Tomaten von den Tomaten den oberen Deckel abschneiden und das Kerngehäuse entfernen. Zwiebeln und Oliven fein würfeln, mit Frischkäse, Joghurt und Petersilie verrühren und mit Salz und Pfeffer pikant abschmecken. Die Frischkäsecreme in die ausgehöhlten Tomaten füllen und mit Petersilie garniert servieren.

2. Für die gefüllten Mini-Paprika Paprikaschoten längs halbieren und das Kerngehäuse herausschneiden, Pinienkerne hacken. Ziegenkäse mit Joghurt, Honig und Pinienkernen verrühren und mit Salz und Pfeffer abschmecken. Die Masse in die Paprikahälften füllen und mit buntem Pfeffer bestreut servieren.

3. Für die gefüllten Gurken Gurke mit einem Sparschäler längs so schälen, dass grüne Streifen bleiben, in 4 Stücke schneiden und einen Teil des Kerngehäuses mit einem Teelöffel herausnehmen. Tunfisch mit Frischkäse vermischen. Gewürzgurken in feine Würfel schneiden, mit den Kapern zur Tunfischmasse geben und pikant mit Salz und Pfeffer abschmecken. Masse in die Gurkenstücke füllen und mit Dill garniert servieren.

Zubereitungszeit: ca. 15 Minuten

GEMÜSEPFANNE

Für 4 Personen:

2 Knoblauchzehen
400 g Blumenkohl
4 Karotten
2 TL Pflanzenöl
250 g grüne Bohnen
300 ml Gemüsebrühe
(1 TL Instant)
250 g fettarmer Joghurt
1 TL Stärkemehl
8 mittelgroße, gekochte Kartoffeln
400 g Mais (Konserve)
Salz
Pfeffer

1. Knoblauchzehen zerdrücken, Blumenkohl in Röschen teilen und Karotten in Stifte schneiden. Öl in einer Pfanne erhitzen und Gemüse und Bohnen andünsten. 200 ml Brühe angießen und zugedeckt ca. 15 Minuten garen.

2. Restliche Brühe und Joghurt mit Stärkemehl verrühren und zum Gemüse geben. Kartoffeln würfeln, mit Mais hinzu geben und erhitzen. Gemüsepfanne mit Salz und Pfeffer kräftig abschmecken und servieren.

Zubereitungszeit: ca. 10 Minuten
Garzeit: ca. 20 Minuten

Pro Person: 

GEFÜLLTE ZWIEBELN

Für 4 Personen:

8 Gemüsezwiebeln
Salz
420 g Tatar
2 Eier
3 TL gehackte Petersilie
1 Msp. gemahlener Kümmel
Pfeffer
250 ml Gemüsebrühe
(1 TL Instant)
2 EL heller Saucenbinder
(Instantpulver)
12 gekochte Kartoffeln

1. Von den Zwiebeln einen Deckel abschneiden, aushöhlen und in Salzwasser zugedeckt ca. 10 Minuten garen.

2. Ausgelöstes Zwiebelfruchtfleisch fein hacken und mit Tatar, Eiern und Petersilie vermengen. Tatar-Masse mit Kümmel, Salz und Pfeffer würzen und in die Zwiebeln füllen.

3. Zwiebeln in eine kleine Auflaufform setzen, Gemüsebrühe angießen und im vorgeheizten Backofen bei 200 Grad (Gas: Stufe 3) ca. 20 Minuten garen. Zwiebeln herausnehmen und Sauce mit Saucenbinder andicken. Zwiebeln mit Sauce zu den Kartoffeln servieren.

Zubereitungszeit: ca. 10 Minuten
Garzeit: ca. 30 Minuten

Zwiebeln

Zwiebeln gehören zu den ältesten Kulturpflanzen. Charakteristisch ist der würzige Geschmack und Geruch, der durch den Gehalt an ätherischen Ölen bedingt ist. Letztere sind es, die die Schleimhäute reizen und die Tränen laufen lassen. Aus Spanien stammt eine besonders große Speisezwiebel, die Gemüsezwiebel. Die Gemüsezwiebel wird vorwiegend in südlichen Ländern angebaut, da sie hohe Wärmeansprüche hat. Die »großen« Zwiebeln erreichen ein Gewicht von 200 g und mehr. Das Fruchtfleisch ist mild und leicht süßlich. Gemüsezwiebeln können Sie vielseitig in der Küche einsetzen: für Zwiebelsalate, zum Schmoren und Kochen von Zwiebelgemüse, für Suppen, zum Grillen, besonders aber zum Füllen mit Hackfleisch oder Gemüse.

TOMATEN MIT FRISCHKÄSE-FÜLLUNG

Für 4 Personen:

4 große Fleischtomaten
1 Zwiebel
1 Knoblauchzehe
100 g Champignons
4 EL Frischkäse
(30 % Fett i. Tr.)
2 TL gehacktes Basilikum
Salz
Pfeffer
4 EL geriebener Käse
(32 % Fett i. Tr.)
150 ml Gemüsebrühe
(1 TL Instant)

1. Fleischtomaten aushöhlen und das Innere in Würfel schneiden. Für die Füllung Zwiebel, Knoblauchzehe und Champignons fein hacken und in einer beschichteten Pfanne fettfrei anbraten. Tomatenwürfel und Frischkäse hinzugeben und mit Basilikum, Salz und Pfeffer abschmecken.

2. Füllung in die Tomaten geben, mit Käse bestreuen und in eine flache Auflaufform setzen. Gemüsebrühe angießen und im vorgeheizten Backofen bei 200 Grad (Gas: Stufe 3) ca. 20 Minuten garen.

Zubereitungszeit: ca. 10 Minuten
Garzeit: ca. 20 Minuten

Pro Person: 1 POINT

SPARGEL IM KARTOFFELHEMD MIT KRÄUTERSAUCE

Für 2 Personen:

500 g grüner Spargel
Salz
200 g Kartoffeln
1 Ei
6 EL Stärkemehl
Pfeffer
geriebene Muskatnuss
1 dünne Scheibe gekochter Schinken
1 TL Schnittlauchringe
1 TL Pflanzenöl
3 EL fettarme Milch
1 EL heller Saucenbinder (Instantpulver)
1 Tasse frische Kräuter (Petersilie, Schnittlauch)

1. Spargel in ca. 5 cm lange Stücke schneiden, in Salzwasser ca. 15 Minuten bissfest garen und das Kochwasser beiseite stellen.

2. Kartoffeln kochen, zerstampfen, mit Ei und Stärkemehl verkneten und mit Salz, Pfeffer und Muskatnuss würzen. Teig halbieren und jeweils ca. 1 cm dick zu einem Rechteck ausrollen.

3. Schinken in Streifen schneiden, mit der Hälfte der Spargelstücke und Schnittlauchringe auf die Kartoffelteige verteilen. Rechtecke übereinanderschlagen und Ränder festdrücken. Öl in einer Pfanne erhitzen und Kartoffelhemden von beiden Seiten goldbraun braten.

4. 100 ml Spargelkochwasser mit Milch erhitzen und mit Saucenbinder binden. Den Rest des Spargels darin kurz erwärmen, Kräuter zugeben, mit Salz und Pfeffer abschmecken und zu den Kartoffelhemden servieren.

Zubereitungszeit: ca. 20 Minuten
Garzeit: ca. 25 Minuten

SPINAT-NUDEL-PFANNE

Für 1 Person:

2 Tomaten
1 Knoblauchzehe
1 Lauchzwiebel
200 g frischer Spinat
125 ml fettarme Milch
½ TL Gemüsebrühe, Instant
180 g gegarte Nudeln
Salz
Pfeffer
1 Msp. geriebene Muskatnuss
1 kleines Stück Schafkäse (45% Fett i. Tr.)

1. Tomaten kreuzweise einschneiden, mit heißem Wasser überbrühen, häuten, halbieren und entkernen. Tomatenfleisch und Knoblauchzehe würfeln, Lauchzwiebel in Ringe schneiden und alles mit Blattspinat in einer beschichteten Pfanne fettfrei ca. 10 Minuten andünsten.

2. Milch mit Gemüsebrühe würzen, mit Nudeln zum Gemüse geben und mit Salz, Pfeffer sowie Muskatnuss pikant abschmecken. Schafkäse würfeln. Spinat-Nudel-Pfanne auf einem Teller anrichten und mit Schafkäsewürfeln bestreut servieren.

Zubereitungszeit: ca. 10 Minuten
Garzeit: ca. 10 Minuten

Pro Person: 6 POINTS

BUNTES GEMÜSE MIT FARFALLE

1. Nudeln nach Packungsanweisung in kochendem Salzwasser garen. Spargel in 5 cm lange Stücke schneiden. Knoblauch fein hacken. Peperoni entkernen und mit Frühlingszwiebel in Ringe und Paprika in Rauten schneiden.

2. Spargelstücke, Zuckererbsenschoten, Paprikarauten, Peperoni, Frühlingszwiebelringe und Knoblauch im heißen Öl in einer beschichteten Pfanne unter Rühren ca. 5 Minuten anbraten. Mais, gegarte Farfalle, Petersilie, Koriander, Orangen- und Zitronensaft untermischen. Mit Salz und Cayennepfeffer abschmecken und servieren.

Zubereitungszeit: ca. 10 Minuten
Garzeit: ca. 15 Minuten

Für 4 Personen:

240 g Farfalle, trocken
Salz
200 g grüner Spargel
2 Knoblauchzehen
1 Peperoni
1 Frühlingszwiebel
2 rote Paprikaschoten
200 g Zuckererbsenschoten
1 TL Pflanzenöl
100 g Mais (Konserve)
1 EL Petersilie
1 EL Koriander
2 EL Orangensaft, ohne Zucker
2 EL Zitronensaft
Cayennepfeffer

Pro Person: 4 POINTS

MAIS-BOHNEN-KARTOFFEL-EINTOPF

Für 1 Person:

1 Zwiebel
3 Kartoffeln
200 g frische, grüne Bohnen
300 ml Gemüsebrühe
(2 TL Instant)
2 EL Mais (Konserve)
1 EL Kidneybohnen
(Konserve)
Salz
Cayennepfeffer

1. Zwiebel und Kartoffeln würfeln und Bohnen in mundgerechte Stücke schneiden. Zwiebelwürfel fettfrei anrösten, Gemüsebrühe angießen und aufkochen. Kartoffeln und Bohnen in der Gemüsebrühe zugedeckt ca. 15 Minuten garen.

2. Mais und Kidneybohnen in der Suppe erhitzen und mit Salz und Cayennepfeffer abgeschmeckt servieren.

Zubereitungszeit: ca. 20 Minuten
Garzeit: ca. 15 Minuten

Pro Person: 3 POINTS

WÜRZIGE WEISSKOHLPFANNE

Für 4 Personen:

300 g Schweineschnitzel, mager
2 EL Sojasauce
1 Zwiebel
1 kleines Stück Ingwer
1 Kopf Weißkohl
2 TL Pflanzenöl
100 ml Gemüsebrühe (1 TL Instant)
1 TL Paprikapulver
320 g gegarter Reis
Salz
Chilipulver
Sambal Oelek

1. Fleisch in feine Streifen schneiden und in der Sojasauce ca. 30 Minuten marinieren. Zwiebel würfeln und Ingwer fein hacken. Weißkohlstrunk entfernen und Kohl in Streifen schneiden.

2. Öl in einer Pfanne erhitzen, Zwiebel und Ingwer zufügen und darin glasig andünsten. Fleisch zugeben und von allen Seiten ca. 5 Minuten anbraten. Weißkohlstreifen unterrühren, Brühe angießen und ca. 10 Minuten garen.

3. Paprikapulver mit Reis unterheben, unter Rühren weitere ca. 5 Minuten garen, mit Salz, Chilipulver und Sambal Oelek würzig abschmecken und servieren.

Zubereitungszeit: ca. 15 Minuten
Marinierzeit: ca. 30 Minuten
Garzeit: ca. 20 Minuten

Pro Person: 4 POINTS

CHINESISCHE GEMÜSEPFANNE MIT HUHN

1. Hähnchenbrustfilet in grobe Würfel schneiden. Sellerie in Stücke, Frühlingszwiebeln in Ringe, Champignons in Scheiben und Paprikaschoten in Streifen schneiden.

2. Öl in einer Pfanne erhitzen, Fleischwürfel zufügen und von allen Seiten ca. 5 Minuten anbraten. Geschnittenes Gemüse zusammen mit den Sprossen und Zuckererbsenschoten zufügen und zugedeckt ca. 5 Minuten schmoren. Sojasauce mit Sherry verrühren und mit Glasnudeln und Cashewnüssen zum Gemüse geben. Alles einmal aufkochen, mit Salz, Pfeffer und Currypulver abschmecken und servieren.

Zubereitungszeit: ca. 10 Minuten
Garzeit: ca. 15 Minuten

Für 4 Personen:

480 g Hähnchenbrustfilet
2 Stangen Staudensellerie
1 Bund Frühlingszwiebeln
200 g Champignons
je 1 gelbe und rote Paprikaschote
2 TL Sesamöl (ersatzweise Pflanzenöl)
100 g Bambussprossen
50 g Sojasprossen
150 g Zuckererbsenschoten
5 EL Sojasauce
½ Glas Sherry (25 ml)
240 g gegarte Glasnudeln
4 TL gehackte Cashewnüsse
Salz
Pfeffer
Currypulver

Pro Person: 5 POINTS

GEMÜSE-MIX MIT HÄHNCHEN

Für 4 Personen:

1 Staude Mangold (ca. 500 g)
je 1 rote und gelbe Paprikaschote
200 g Champignons
2 Zwiebeln
1 Knoblauchzehe
320 g Kartoffeln
300 g Hähnchenbrustfilet
90 g Bauchspeck
2 TL Pflanzenöl
½ Liter Gemüsebrühe (2 TL Instant)
Salz
Pfeffer
1 TL Currypulver
einige Tropfen Zitronensaft
2 TL heller Saucenbinder (Instantpulver)

1. Mangold in Stücke, Paprikaschoten in Streifen schneiden und Champignons halbieren. Zwiebeln achteln, Knoblauchzehe zerdrücken und Kartoffeln in Stifte schneiden. Hähnchenbrustfilet und Speck in feine Streifen schneiden.

2. Öl in einer beschichteten Pfanne erhitzen, Speck- und Hähnchenbruststreifen darin anbraten, Kartoffelstifte, Zwiebeln, Paprikastreifen und Knoblauch zugeben und kurz mitdünsten. Brühe angießen und alles ca. 5 Minuten garen. Kurz vor Ende der Garzeit Mangoldstücke und Champignonhälften hinzufügen und mit Salz, Pfeffer, Currypulver und Zitronensaft abschmecken. Saucenbinder einstreuen, unter Rühren aufkochen lassen und den Gemüse-Mix servieren.

Zubereitungszeit: ca. 15 Minuten
Garzeit: ca. 10 Minuten

Pro Person: 

PAPRIKAPFANNE MIT SCHWEINEFLEISCH

Für 4 Personen:

600 g Schweinefleisch, mager
2 TL Pflanzenöl
Pfeffer
Paprikapulver
je 2 rote und gelbe Paprikaschoten
1 Gemüsezwiebel
400 g Champignons
2 TL italienische Kräuter
200 g Erbsen (ersatzweise TK)
Salz

1. Schweinefleisch in schmale Streifen schneiden. 1 Teelöffel Öl in einer Pfanne erhitzen, Fleischstreifen zufügen, mit Pfeffer und Paprikapulver würzen, von allen Seiten ca. 5 Minuten anbraten und herausnehmen.

2. Paprikaschoten in Streifen, Gemüsezwiebel in Ringe und Champignons in Scheiben schneiden. Restliches Öl in der Pfanne erhitzen, Zwiebeln zufügen und glasig andünsten. Fleisch-, Paprikastreifen, Pilze und Kräuter zufügen und ca. 10 Minuten schmoren. Erbsen zufügen, ca. 5 weitere Minuten garen, mit Salz, Pfeffer und Paprikapulver abschmecken und servieren.

Zubereitungszeit: ca. 10 Minuten
Garzeit: 20 Minuten

ZUCCHINI-NUDEL-PUFFER MIT TOMATENCHUTNEY

Für 4 Personen:

FÜR DIE ZUCCHINI-NUDEL-PUFFER:
400 g Zucchini
1 Zwiebel
90 g Emmentaler Käse (45% Fett i. Tr.)
½ Bund Petersilie
480 g gegarte Bandnudeln
1 TL Thymian
4 Eier
5 EL Mehl
60 ml fettarme Milch
Salz
Pfeffer
4 TL Pflanzenöl

FÜR DAS TOMATEN-CHUTNEY:
400 g Tomaten
100 g Pflaumen (Konserve ohne Zucker)
1 rote Zwiebel
2 EL Balsamicoessig
2 TL Honig
Ingwerpulver
Chilipulver

1. Zucchini grob raspeln und Zwiebel fein hacken. Käse in feine Würfel schneiden und Petersilie fein hacken. Gemüse mit Nudeln, Käse und Kräutern verrühren. Eier, Mehl und Milch verquirlen, unterrühren und mit Salz und Pfeffer würzen.

2. Öl in einer Pfanne erhitzen, Nudel-Zucchini-Masse esslöffelweise in die Pfanne geben und glatt streichen. Puffer bei mittlerer Hitze von beiden Seiten ca. 3 Minuten braten. Fertige Puffer auf ein mit Back-Folie ausgelegtes Blech setzen und warm stellen.

3. Für das Chutney Tomaten überbrühen, häuten, entkernen und in feine Würfel schneiden. Pflaumen abtropfen lassen, halbieren und Zwiebel fein hacken. Tomaten, Pflaumen und Zwiebeln in einen Topf geben und ca. 5 Minuten bei mittlerer Hitze dünsten. Essig und Honig einrühren und mit Ingwer und Chilipulver abschmecken. Zucchini-Nudel-Puffer mit Tomatenchutney servieren.

Zubereitungszeit: ca. 25 Minuten
Garzeit: ca. 20 Minuten

Pro Person:

KNACKIGES WOK-GEMÜSE

Für 4 Personen:

2 Knoblauchzehen
4 Karotten
1 kleiner Chinakohl
1 Bund Frühlingszwiebeln
200 g grüne Bohnen (Konserve)
200 g Broccoli
Salz
2 TL Sesamöl
200 g Sprossen
250 ml Gemüsebrühe (2½ TL Instant)
2 EL Reiswein (Mirin)
Pfeffer
2 TL China-Würzmischung
320 g gegarter Reis

1. Knoblauch fein hacken, Karotten in feine Würfel und Chinakohl in Streifen schneiden. Frühlingszwiebeln in Ringe, Bohnen in Stücke schneiden und Broccoli in Röschen teilen. Broccoli in kochendem Salzwasser ca. 5 Minuten blanchieren.

2. Öl in einer Pfanne oder einem Wok erhitzen, Knoblauch andünsten, restliches Gemüse und Sprossen zugeben und ca. 5 Minuten unter Rühren anbraten. Mit Gemüsebrühe und Reiswein ablöschen und ca. 10 Minuten köcheln lassen. Mit Salz, Pfeffer und China-Würzmischung abschmecken und mit Reis servieren.

Zubereitungszeit: ca. 20 Minuten
Garzeit: ca. 20 Minuten

Pro Person: 2,5 POINTS

PIZZA, QUICHE, PIKANTE KUCHEN

SPINAT-CHAMPIGNON-LASAGNE

Für 4 Personen:

500 g Spinat
(ersatzweise 400 g TK)
500 g Champignons
4 EL Mehl
Salz
Pfeffer
4 TL Sojasauce
160 g Lasagneblätter, trocken und ohne Vorkochen
1 TL Pflanzenmargarine
6 EL geriebener Emmentaler (32 % Fett i. Tr.)

1. Spinat waschen, nur wenig abgetropft in einen Topf geben und bei mittlerer Hitze zusammenfallen lassen. Champignons würfeln, in einer beschichteten Pfanne anbraten, herausnehmen und mit dem Spinat vermengen. Mehl über den Bratfond streuen, Spinatwasser mit Wasser auf 280 ml auffüllen, unter Rühren angießen und mit Salz, Pfeffer und Sojasauce würzen.

2. Lasagneblätter und Gemüse abwechselnd in eine ofenfeste mit Margarine gefettete Form schichten, dabei mit Lasagneblättern beginnen und mit Gemüse abschließen. Mit geriebenem Käse bestreuen, Sauce angießen und im Backofen 30 Minuten bei 200 Grad (Gas: Stufe 3) backen.

Zubereitungszeit: ca. 15 Minuten
Garzeit: ca. 35 Minuten

Tipp:
Besonders gut schmeckt die Lasagne, wenn Sie zusätzlich 200 g Tofuwürfel zufügen. Berechnen Sie pro Person 1 POINT extra.

WÜRZIGER CHAMPIGNON-LAUCH-KUCHEN

Für 12 Stücke:

FÜR DEN MÜRBETEIG:
280 g Mehl
140 g Halbfettmargarine
Salz

FÜR DEN BELAG:
3 Stangen Lauch
500 g Champignons
100 g Mais (Konserve)
3 EL Sauerrahm (Schmand, 24 % Fett)
Pfeffer
Paprikapulver
160 g geriebener Käse (32 % Fett i.Tr.)
1 EL gehacktes Basilikum

1. Mehl in eine Schüssel geben, Margarine, 1 Prise Salz und 3 Esslöffel Wasser dazugeben. Alles zu einem Mürbeteig verkneten, ca. 20 Minuten kühl stellen, ausrollen und auf ein mit Back-Folie ausgelegtes Backblech geben.

2. Lauch in Ringe, Champignons in Scheiben schneiden und mit Mais mischen. Gemüse mit Schmand vermengen, mit Salz, Pfeffer und Paprikapulver würzen, auf den Teig geben und im vorgeheizten Backofen auf der mittleren Schiene bei 200 Grad (Gas: Stufe 3, Umluft: 180 Grad) ca. 20 Minuten vorbacken. Champignon-Lauch-Kuchen mit geriebenem Käse bestreuen und nochmals bei 200 Grad (Gas: Stufe 3, Umluft: 180 Grad) ca. 20 Minuten backen. Champignon-Lauch-Kuchen mit Basilikum bestreuen, in Stücke schneiden und servieren.

Zubereitungszeit: ca. 25 Minuten
Kühlzeit: ca. 20 Minuten
Backzeit: ca. 40 Minuten

Pro Stück: 3,5 POINTS

DEFTIGER ZWIEBELKUCHEN

Für 12 Stücke:

FÜR DEN HEFETEIG:

560 g Mehl
1 Würfel frische Hefe
125 ml fettarme Milch
125 ml Wasser
2 EL Halbfettmargarine
Salz

FÜR DEN BELAG:

1 kg Gemüsezwiebeln
120 g Schinken, roh, ohne Fett
300 g saure Sahne
1 TL Kümmel
3 Eier
145 g geriebener Emmentaler (30 % Fett i.Tr.)
Pfeffer

1. Mehl in eine Schüssel geben und in die Mitte eine Vertiefung schieben. Hefe hineinbröckeln, Milch erwärmen, 3 Esslöffel lauwarme Milch zur Hefe geben und zugedeckt an einem warmen Ort ca. 15 Minuten gehen lassen. Margarine in der verbliebenen Milch auflösen, 1 Prise Salz zugeben und zusammen mit dem Wasser zu einem glatten Teig verkneten. Zugedeckt an einem warmen Ort ca. 30 Minuten gehen lassen. Backofen auf 200 Grad (Gas: Stufe 3, Umluft: 180 Grad) vorheizen.

2. In der Zwischenzeit Zwiebeln in Ringe und Schinken in Würfel schneiden. Schinkenwürfel in einer beschichteten Pfanne auslassen, herausnehmen, Zwiebelringe hineingeben und goldgelb anbraten. Saure Sahne, Kümmel, Eier, Käse, Salz und Pfeffer verquirlen.

3. Hefeteig in Blechgröße ausrollen und auf ein mit Back-Folie ausgelegtes Backblech legen. Zwiebelringe auf dem Teig verteilen, Schinkenwürfel darauf streuen. Sahne-Eier-Gemisch darüber gießen und im vorgeheizten Backofen auf der mittleren Schiene bei 200 Grad (Gas: Stufe 3, Umluft: 160 Grad) ca. 35 Minuten backen.

Zubereitungszeit: ca. 30 Minuten
Ruhezeit: ca. 45 Minuten
Backzeit: ca. 35 Minuten

ROSENKOHL-AUFLAUF

Für 2 Personen:

500 g Rosenkohl
Salz
1 Schweineschnitzel (150 g)
1 TL Pflanzenöl
500 ml fettarme Milch
2 EL Maismehl (Polenta)
1 Msp. geriebene Muskatnuss
2 TL Zitronensaft
Pfeffer
1 TL Mandelblätter
2 mittelgroße gekochte Kartoffeln
2 rote Paprikaschoten
50 ml Gemüsebrühe (½ TL Instant)

1. Rosenkohl in Salzwasser ca. 15 Minuten garen. Schweineschnitzel in feine Streifen schneiden. Öl in einer Pfanne erhitzen und Fleischstreifen darin von allen Seiten anbraten.

2. Rosenkohl längs halbieren und mit der Schnittfläche nach unten in eine flache Auflauf- oder Quicheform legen. Fleischstreifen auf dem Rosenkohl verteilen. Für die Sauce Milch aufkochen, Maismehl einrühren und zugedeckt bei milder Hitze ca. 10 Minuten ausquellen lassen.

3. Sauce mit Muskatnuss, Zitronensaft, Salz und Pfeffer abschmecken und über den Rosenkohl gießen. Mandelblätter darüber streuen und im vorgeheizten Backofen bei 160 Grad (Gas: Stufe 1) ca. 25 Minuten überbacken.

4. Kartoffeln und Paprikaschoten würfeln. Kartoffelwürfel in einer beschichteten Pfanne fettfrei unter Rühren anbraten. Paprikawürfel und Brühe zufügen und ca. 5 Minuten garen. Rosenkohl-Auflauf mit Kartoffel-Paprikagemüse servieren.

Zubereitungszeit: ca. 10 Minuten
Garzeit: ca. 55 Minuten

KRÄUTER-QUARK-KUCHEN

1. Mehl in eine Schüssel geben, mit Margarine, Ei, 1 Prise Salz und ca. 2 Esslöffeln Wasser zu einem geschmeidigen Teig verkneten, zu einer Kugel formen und ca. 30 Minuten an einem warmen Ort zugedeckt gehen lassen. Zwiebeln fein hacken und in einer beschichteten Pfanne fettfrei andünsten.

2. Quark, Milch, Eier, Zwiebeln, Käse und Kräuter verrühren und mit Salz, Pfeffer und Muskat würzen. Ein Backblech mit Back-Folie auslegen, Teig ausrollen, darauf legen und einen Rand hochziehen. Quark-Masse darauf geben und im vorgeheizten Backofen auf der mittleren Schiene bei 200 Grad (Gas: Stufe 3, Umluft: 180 Grad) ca. 35 Minuten backen.

Zubereitungszeit: ca. 25 Minuten
Ruhezeit: ca. 30 Minuten
Backzeit: ca. 35 Minuten

Für 12 Stücke:

FÜR DEN TEIG:
250 g Mehl
130 g Halbfettmargarine
1 Ei
Salz

FÜR DIE FÜLLUNG:
2 Zwiebeln
825 g Magerquark
60 ml fettarme Milch
5 Eier
80 g geriebener Käse
(32 % Fett i.Tr.)
2 EL gehacktes Basilikum
2 EL gehackte Petersilie
2 EL Schnittlauchringe
1 EL gehackter Oregano
Pfeffer
geriebene Muskatnuss

Pro Stück:

VERSTECKTES ZUCCHINIGEMÜSE

Für 4 Personen:

60 g schwarze Oliven, ohne Kern
100 g getrocknete Tomaten (ohne Öl)
4 Portionen Pizza-Frischteig (180 g)
300 g Artischockenherzen (Konserve)
4 Zucchini
6 Fleischtomaten
1 Knoblauchzehe
2 TL Olivenöl
Salz
Pfeffer
1 TL Kräuter der Provence

1. Oliven in Scheiben, getrocknete Tomaten in Würfel schneiden und mit dem Pizzateig verkneten. Artischockenherzen halbieren, Zucchini längs vierteln und in mundgerechte Stücke schneiden, Fleischtomaten grob würfeln.

2. Knoblauchzehe zerdrücken, in erhitztem Olivenöl kurz andünsten, vorbereitetes Gemüse zugeben und einige Minuten mitdünsten. Gemüse mit Salz, Pfeffer und Kräutern der Provence abschmecken und in eine Auflaufform geben. Teig dünn ausrollen, als Deckel auf den Auflauf setzen und im vorgeheizten Backofen bei 190 Grad (Gas: Stufe 2) ca. 20 Minuten backen.

Zubereitungszeit: ca. 10 Minuten
Backzeit: ca. 25 Minuten

Pro Person: 4,5 POINTS

UNGARISCHER BLECHKUCHEN

Für 12 Stücke:

FÜR DEN TEIG:
350 g Mehl
175 g Halbfettmargarine
Salz

FÜR DEN BELAG:
je 2 gelbe und rote Paprikaschoten
1 Gemüsezwiebel
1 Frühlingszwiebel
100 g Mais (Konserve)
200 ml Gemüsebrühe (2 TL Instant)
210 g saure Sahne
Pfeffer
80 g Geflügelsalami, in dünnen Scheiben
80 g geriebener Käse (32 % Fett i.Tr.)

1. Mehl in eine Schüssel geben, mit Margarine, 1 Prise Salz und 4 Esslöffeln Wasser zu einem glatten Mürbeteig verkneten und ca. 30 Minuten kühl stellen. Teig ausrollen und auf ein mit Back-Folie ausgelegtes Backblech geben. Paprikaschoten in Würfel, Gemüsezwiebel und Frühlingszwiebel in Ringe schneiden. Paprikawürfel, Mais, Zwiebel- und Frühlingszwiebelringe auf dem Teig verteilen.

2. Gemüsebrühe und saure Sahne verrühren, mit Salz und Pfeffer abschmecken und über das Gemüse geben. Salamischeiben in Streifen schneiden und mit geriebenem Käse über das Gemüse streuen. Ungarischen Blechkuchen im vorgeheizten Backofen auf der mittleren Schiene bei 200 Grad (Gas: Stufe 3, Umluft: 180 Grad) ca. 30 Minuten backen.

Zubereitungszeit: ca. 30 Minuten
Kühlzeit: ca. 30 Minuten
Backzeit: ca. 30 Minuten

KNUSPRIGER GEMÜSE-TOFU-KUCHEN

Für 12 Stücke:

FÜR DEN MÜRBETEIG:

240 g Vollkornmehl
120 g Halbfettmargarine
1 Ei
Salz

FÜR DEN BELAG:

400 g Zwiebeln
400 g Champignons
Pfeffer
geriebene Muskatnuss
400 g Strauchtomaten
100 g Tofu
⅛ l Gemüsebrühe
(1 TL Instant)
2 TL Olivenöl
1 TL Senf, mittelscharf

1. Vollkornmehl in eine Schüssel geben, Margarine, Ei, 1 Prise Salz und 3 Esslöffel Wasser zugeben, alles zu einen Mürbeteig verarbeiten, ca. 20 Minuten kühl stellen, ausrollen und auf ein mit Back-Folie ausgelegtes Backblech geben.

2. Zwiebeln in Ringe, Champignons in Scheiben schneiden, beides in einer beschichteten Pfanne fettfrei andünsten und mit Salz, Pfeffer und Muskat würzen. Tomaten vierteln, mit Zwiebelringen und Champignonscheiben mischen und auf dem Teig verteilen.

3. Tofu mit Gemüsebrühe und Olivenöl pürieren, mit Senf, Salz und Pfeffer abschmecken und über das Gemüse geben. Gemüse-Tofu-Kuchen im vorgeheizten Backofen auf der mittleren Schiene bei 200 Grad (Gas: Stufe 3, Umluft: 180 Grad) ca. 25 Minuten backen.

Zubereitungszeit: ca. 5 Minuten
Kühlzeit: ca. 20 Minuten
Backzeit: ca. 25 Minuten

Pro Stück: 2,5 POINTS

ZUCCHINI-TOMATEN-KUCHEN

Für 12 Stücke:

FÜR DEN MÜRBETEIG:
260 g Mehl
130 g Halbfettmargarine
1 Eigelb
Salz

FÜR DEN BELAG:
1 kg Zucchini
800 g Fleischtomaten
250 g Mozzarella
125 ml fettarme Milch
60 ml Sahne (30 % Fett)
Pfeffer
Chilipulver
geriebene Muskatnuss

1. Mehl in eine Schüssel geben, Margarine, Eigelb, 1 Prise Salz und 3 Esslöffel Wasser zugeben, alles zu einem festen Teig verkneten und ca. 20 Minuten kühl stellen. Zucchini und Tomaten in dünne Scheiben schneiden.

2. Mürbeteig dünn ausrollen und auf ein mit Back-Folie ausgelegtes Backblech geben. Zucchini- und Tomatenscheiben auf den Teig schichten. Mozzarella mit Milch und Sahne pürieren. Mit Salz, Pfeffer, Chilipulver und Muskat würzen, über das Gemüse gießen und im vorgeheizten Backofen auf der mittleren Schiene bei 200 Grad (Gas: Stufe 3, Umluft: 180 Grad) ca. 30 Minuten backen.

Zubereitungszeit: ca. 25 Minuten
Kühlzeit: ca. 20 Minuten
Gar-/Backzeit: ca. 30 Minuten

SPARGEL-SCHINKEN-GRATIN

Für 4 Personen:

1 kg Spargel
Salz
1 Bund Kerbel
(ersatzweise Schnittlauch)
200 g gekochter Schinken
600 g gekochte Kartoffeln
2 Eier
125 ml fettarme Milch
50 ml Gemüsebrühe
(½ TL Instant)
geriebene Muskatnuss
Pfeffer
Paprikapulver

1. Spargel in Stücke schneiden und in kochendem Salzwasser ca. 10 Minuten garen. Kerbel grob hacken, Kochschinken in Würfel und Kartoffeln in Scheiben schneiden. Spargel, Kartoffeln und Kochschinken in eine Auflaufform geben.

2. Eier mit Milch und Gemüsebrühe verquirlen, mit Kerbel, Muskatnuss, Salz, Pfeffer und Paprikapulver würzen und über das Gemüse geben. Spargel-Schinken-Gratin im vorgeheizten Backofen bei 200 Grad (Gas: Stufe 3) ca. 30 Minuten garen.

Zubereitungszeit: ca. 15 Minuten
Garzeit: ca. 40 Minuten

Pro Person: 4,5 POINTS

ITALIENISCHER KARTOFFELAUFLAUF

Für 1 Person:

2 große Kartoffeln
1 kleine Zucchini
1 kleine Aubergine
Salz
1 Knoblauchzehe
3 EL Magerquark
50 ml Gemüsebrühe
(½ TL Instant)
Cayennepfeffer
Paprikapulver
½ Kugel Mozzarella
einige Blätter Basilikum

1. Kartoffeln mit Schale in reichlich kochendem Wasser ca. 20 Minuten garen und schälen. Kartoffeln, Zucchini und Aubergine in Scheiben schneiden. Auberginen- und Zucchinischeiben salzen, 15 Minuten ruhen lassen und in einer beschichteten Pfanne fettfrei goldbraun braten. Gemüse- und Kartoffelscheiben abwechselnd fächerförmig in eine Auflaufform schichten.

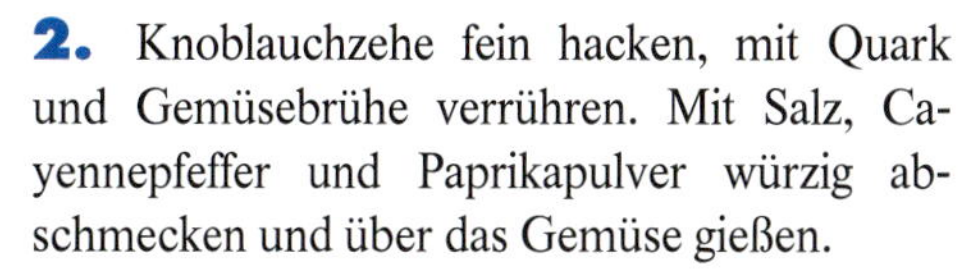

2. Knoblauchzehe fein hacken, mit Quark und Gemüsebrühe verrühren. Mit Salz, Cayennepfeffer und Paprikapulver würzig abschmecken und über das Gemüse gießen.

3. Mozzarella in Streifen schneiden und über dem Auflauf verteilen. Alles im vorgeheizten Backofen bei 200 Grad (Gas: Stufe 3) ca. 20 Minuten überbacken und mit Basilikum garniert servieren.

Zubereitungszeit: ca. 10 Minuten
Garzeit: ca. 45 Minuten

Pro Person: 6 POINTS

KNUSPRIGE PIZZAMONDE

Für 12 Stück:

380 g Vollkornmehl
½ TL Backpulver
150 g Magerquark
1 Ei
2 TL Margarine
100 ml Mineralwasser
Salz
1 Zwiebel
1 kleines Hähnchenbrustfilet (120 g)
je 1 rote, gelbe und grüne Paprikaschote
1 Stange Staudensellerie
1 Tomate
10 grüne Oliven
200 ml passierte Tomaten (Konserve)
1 TL Kräuter der Provence
Paprikapulver
Pfeffer
200 g Mais (Konserve)
2 EL Ananasstücke (Konserve ohne Zucker)
80 g geriebener Gouda (30% Fett i. Tr.)

1. Mehl und Backpulver mischen und mit Quark, Ei, Margarine, Mineralwasser und Salz zu einem geschmeidigen Teig verkneten. Teig zugedeckt im Kühlschrank ca. 30 Minuten ruhen lassen.

2. Zwiebel und Hähnchenbrustfilet würfeln und in einer beschichteten Pfanne fettfrei braten. Paprikaschoten in Streifen, Staudensellerie, Tomate und Oliven in Scheiben schneiden. Passierte Tomaten mit Kräutern, Paprikapulver, Salz und Pfeffer würzen.

3. Teig durchkneten, ca. 1 cm dünn ausrollen und 12 Halbmonde ausstechen. Pizzamonde auf ein mit Back-Folie ausgelegtes Backblech legen und mit Tomatenmasse bestreichen. 4 Pizzamonde mit der Hälfte der Fleischmasse und roten Paprikastreifen belegen. 4 Pizzamonde mit Tomatenscheiben, gelben Paprikastreifen, Mais und Ananasstücken und die restlichen 4 Pizzamonde mit restlicher Fleischmasse, grünen Paprikastreifen, Staudensellerie- und Olivenscheiben belegen. Käse über alle Pizzamonde verteilen und im vorgeheizten Backofen bei 200 Grad (Gas: Stufe 3) ca. 20 Minuten backen.

Zubereitungszeit: ca. 30 Minuten
Ruhezeit: ca. 30 Minuten
Garzeit: ca. 30 Minuten

Pro Stück:

CHAMPIGNON-GEFLÜGEL-AUFLAUF

Für 2 Personen:

240 g Hähnchenbrustfilet
Salz
Pfeffer
Ingwerpulver
500 g Champignons
4 Schalotten
180 ml fettarme Milch
1 EL heller Saucenbinder (Instantpulver)
3 EL gehackte Petersilie
240 g gegarte Spätzle
4 EL geriebener Käse (32 % Fett i. Tr.)
1 Salatgurke
½ Bund Frühlingszwiebeln
1 Päckchen Fix für Salatsauce
½ TL Dill

1. Hähnchenbrustfilet in Streifen schneiden, in einer beschichteten Pfanne fettfrei anbraten, mit Salz, Pfeffer und Ingwer würzen und herausnehmen. Champignons vierteln, Schalotten würfeln und beides in der gleichen Pfanne andünsten. Milch angießen, Saucenbinder unter Rühren einstreuen und aufkochen lassen. Petersilie einrühren und mit Salz und Pfeffer pikant abschmecken.

2. Champignongemüse mit Hähnchenstreifen und Spätzle in eine Auflaufform geben, mit Käse bestreuen und im vorgeheizten Backofen bei 200 Grad (Gas: Stufe 3) ca. 20 Minuten backen.

3. Salatgurke halbieren und in Halbmonde, Frühlingszwiebeln in Ringe schneiden. Fix für Salatsauce nach Packungsanweisung ohne Öl zubereiten, Dill einrühren, mit den Salatzutaten vermengen und zu dem Auflauf servieren.

Zubereitungszeit: ca. 25 Minuten
Garzeit: ca. 30 Minuten

KRABBEN-SPINAT-LASAGNE

Für 4 Personen:

1 TL Pflanzenmargarine
2 EL Mehl
125 ml fettarme Milch
200 ml Gemüsebrühe
(1 TL Instant)
1 Prise geriebene
Muskatnuss
Salz
Pfeffer
800 g Blattspinat
(frisch oder TK)
2 Zwiebeln
2 Knoblauchzehen
200 g Krabben
12 Lasagneblätter, trocken
80 g geriebener Käse
(32% Fett i. Tr.)

1. Margarine zerlassen, Mehl darüber stäuben und goldgelb anschwitzen. Nach und nach Milch und Gemüsebrühe angießen und aufkochen lassen. Sauce mit Muskatnuss, Salz und Pfeffer abschmecken.

2. Spinat grob hacken. Zwiebeln und Knoblauchzehen würfeln, mit Krabben in einer beschichteten Pfanne andünsten. Spinat zugeben und mit Salz und Pfeffer abschmecken.

3. Abwechselnd Lasagneblätter, Spinatmasse und Sauce in eine flache eckige Auflaufform schichten, dabei mit Lasagneblättern beginnen und mit Sauce abschließen. Krabben-Spinat-Lasagne mit Käse bestreut im vorgeheizten Backofen bei 175 Grad (Gas: Stufe 2) ca. 40 Minuten backen.

Zubereitungszeit: ca. 25 Minuten
Garzeit: ca. 55 Minuten

Pro Person: 6 POINTS

BUNTE KARTOFFEL-GEMÜSE-PIZZA

Für 12 Stücke:

FÜR DEN TEIG:
1 kg Kartoffeln
120 g saure Sahne
2 EL Mehl
4 Eier
1 EL Schnittlauchringe
1 EL gehackte Petersilie
Salz
Pfeffer
Thymian
Oregano

FÜR DEN BELAG:
4 EL Tomatenmark
4 EL Senf (z.B. Löwensenf mittelscharf)
je 1 rote und grüne Paprikaschote
200 g Champignons
1 Bund Frühlingszwiebeln
100 g Mais (Konserve)
40 g schwarze Oliven, entkernt
160 g geriebener Käse (32 % Fett i.Tr.)

1. Kartoffeln reiben und mit 90 g saurer Sahne, Mehl, Eiern, Schnittlauch und Petersilie verrühren. Kartoffelmasse mit Salz, Pfeffer, Thymian und Oregano würzen. Backblech mit Back-Folie auslegen, Masse darauf verteilen und im vorgeheizten Backofen auf der mittleren Schiene bei 200 Grad (Gas: Stufe 3, Umluft: 180 Grad) ca. 20 Minuten vorbacken.

2. Tomatenmark, Senf und restliche saure Sahne verrühren, mit Thymian und Oregano würzen und auf den Pizzaboden streichen. Paprikaschoten in Streifen, Champignons in Scheiben und Frühlingszwiebeln in Ringe schneiden.

3. Paprikastreifen, Champignonscheiben, Frühlingszwiebelringe, Mais und Oliven und auf dem Pizzaboden verteilen. Mit Käse bestreuen und im vorgeheizten Backofen auf der mittleren Schiene bei 180 Grad (Gas: Stufe 2, Umluft: 160 Grad) ca. 20 weitere Minuten backen.

Zubereitungszeit: ca. 35 Minuten
Backzeit: ca. 40 Minuten

Pro Stück: 3 POINTS

FISCH, GEFLÜGEL, FLEISCH

SCHOLLE MIT KRÄUTERKRUSTE

Für 4 Personen

4 Schollenfilets (à 140 g)
1 TL Zitronensaft
2 EL französische Kräuter
2 EL Paniermehl
2 TL Pflanzenmargarine
Salz
Pfeffer
1 Aubergine
4 große Karotten
1 Zucchini
½ Liter Gemüsebrühe
(3 TL Instant)
1 EL Pinienkerne
480 g Kartoffelpüree/
-stock, verzehrsfertig

1. Schollenfilets mit Zitronensaft beträufeln. Kräuter, Paniermehl und Margarine verrühren und mit Salz und Pfeffer würzen. Kräutermasse auf je 1 Seite der Schollenfilets streichen und anschließend im Backofen bei 200 Grad (Gas: Stufe 4) ca. 15 Minuten grillen.

2. Aubergine, Karotten und Zucchini würfeln. Gemüsebrühe in einem Topf erhitzen, Gemüsewürfel hineingeben, ca. 10 Minuten garen, abgießen, mit Salz und Pfeffer würzen, und mit Pinienkernen bestreuen. Scholle mit Gemüse und Kartoffelpüree servieren.

Zubereitungszeit: ca. 15 Minuten
Garzeit: ca. 15 Minuten

Pro Person: 4,5 POINTS

SEELACHS MIT GRÜNEM PFEFFER

1. Kartoffeln in kochendem Salzwasser ca. 20 Minuten garen. Seelachsfilets salzen und pfeffern. Zwiebeln in Ringe schneiden, Paprika würfeln und Knoblauch zerdrücken. Schinken würfeln, in einer beschichteten Pfanne fettfrei anbraten, Zwiebelringe dazugeben und glasig dünsten. Paprikawürfel, Knoblauch und grüne Pfefferkörner zugeben, unter Rühren braten, Mais zufügen, Gemüsebrühe angießen, mit Salz, Pfeffer und Paprika würzen und zugedeckt bei mittlerer Hitze ca. 10 Minuten garen.

2. Fischfilet auf das Gemüse legen und zugedeckt weitere 10 Minuten garen. Fischfilet herausnehmen und warm stellen. Sauerrahm in das Gemüse einrühren und mit Salz und Pfeffer abschmecken. Fisch mit Salzkartoffeln und Gemüse auf Tellern anrichten und mit fein gehackter Petersilie bestreut servieren.

Zubereitungszeit: ca. 15 Minuten
Garzeit: ca. 30 Minuten

Für 4 Personen:

600 g Kartoffeln
Salz
450 g Seelachsfilet
Pfeffer
2 Zwiebeln
je 2 rote und gelbe Paprikaschoten
2 Knoblauchzehen
60 g gekochter Schinken
1 EL grüne Pfefferkörner
150 g Mais (Konserve)
150 ml Gemüsebrühe (1 TL Instant)
Paprikapulver, edelsüß
1 EL Sauerrahm (Schmand, 24 % Fett)
1 EL Petersilie, gehackt

Pro Person: 4,5 POINTS

ROTER KABELJAU MIT TOMATENREIS

Für 4 Personen:

4 kleine Kabeljaufilets (à 150 g)
Saft von ½ Zitrone
einige Tropfen flüssiger Süßstoff
4 TL Paprikapulver, (z.B. von Fuchs)
Salz
Pfeffer
2 EL Sesam
1 Stange Bleichsellerie
650 ml Gemüsebrühe (4 TL Instant)
4 Zwiebeln
8 Tomaten
180 g Langkornreis, trocken

1. Kabeljaufilets in breite Streifen schneiden, in eine Auflaufform legen, mit Zitronensaft und Süßstoff beträufeln und mit 1 Teelöffel Paprikapulver, Salz, Pfeffer und Sesam bestreuen. Sellerie in Stücke schneiden und um den Fisch verteilen, 125 ml Brühe angießen und im vorgeheizten Backofen bei 150 Grad (Gas: Stufe 1) ca. 20 Minuten garen.

2. Zwiebeln und Tomaten würfeln und in einer beschichteten Pfanne fettfrei andünsten. Restliches Paprikapulver und Reis zugeben, kurz mitdünsten, mit restlicher Brühe ablöschen und zugedeckt unter gelegentlichem Umrühren ca. 20 Minuten garen. Tomatenreis mit Salz und Pfeffer abschmecken und zum Paprikafisch servieren.

Zubereitungszeit: ca. 15 Minuten
Garzeit: ca. 25 Minuten

Tipp:
Dazu passt besonders gut ein grüner Salat.

SEEZUNGEN-KRÄUTERROULADE

Für 4 Personen:

5 Tomaten
7 EL Tomatenmark
2 TL Koriander, gehackt
2 TL Thymian, gehackt
2 TL Majoran, gehackt
Salz
Pfeffer
1 EL Sojasauce
8 Seezungenfilets (à 70 g)
2 TL Zitronensaft
16 Wirsingblätter
500 ml Gemüsebrühe
(3 TL Instant)
20 Kirschtomaten
2 TL italienische Kräuter
600 g gekochte Kartoffeln

1. Tomaten würfeln und mit 6 Esslöffeln Tomatenmark, Koriander, Thymian und Majoran vermischen. Tomaten-Kräutermasse mit Salz, Pfeffer und Sojasauce abschmecken. Fischfilets mit Zitronensaft beträufeln und salzen. Wirsingblätter blanchieren. Die Filets auf je zwei Wirsingblätter legen, mit der Hälfte der Tomaten-Kräutermasse bestreichen, aufrollen und mit Küchengarn zubinden.

2. Rouladen in einer beschichteten Pfanne von allen Seiten vorsichtig anbraten und in einen Topf geben. Von der Gemüsebrühe 2 Esslöffel zur Seite stellen, Rest angießen und ca. 10 Minuten garen. Seezungen-Kräuterrouladen herausnehmen und warm stellen. Für die Sauce den Sud reduzieren, restliche Tomaten-Kräutermasse zugeben, verrühren, mit Salz und Pfeffer abschmecken und kurz aufkochen lassen.

3. Kirschtomaten halbieren, mit Kräutern in eine Schüssel geben und vermengen. Restliche Gemüsebrühe mit restlichem Tomatenmark verrühren. Mit Salz und Pfeffer abschmecken, über den Salat geben und durchmischen. Fisch-Kräuterrouladen mit Sauce, Tomatensalat und Kartoffeln servieren.

Zubereitungszeit: ca. 30 Minuten
Garzeit: ca. 15 Minuten

GRÜNE BOHNEN MIT SEELACHS

Für 4 Personen:

800 g grüne Bohnen
Salz
600 g Seelachsfilet
2 EL Zitronensaft
2 TL Pflanzenmargarine
180 g saure Sahne
150 ml Gemüsebrühe
(1 TL Instant)
1 EL Senf
Pfeffer
250 g Kirschtomaten
3 EL Kresse
800 g gekochte Kartoffeln

1. Bohnen halbieren, in kochendem Salzwasser ca. 5 Minuten blanchieren, abgießen und abtropfen lassen.

2. Fischfilet in grobe Würfel schneiden, mit Zitronensaft säuern und salzen. Margarine in einer Pfanne erhitzen, Fischwürfel zufügen und kurz anbraten. Bohnen zum Fisch geben und zugedeckt ca. 5 Minuten dünsten.

3. Saure Sahne mit Gemüsebrühe und Senf verrühren und mit Salz und Pfeffer abschmecken. Tomaten halbieren, mit der sauren Sahne zur Fischpfanne geben und erhitzen. Grüne Bohnenpfanne mit Kresse bestreuen und mit Kartoffeln servieren.

Zubereitungszeit: ca. 10 Minuten
Garzeit: ca. 15 Minuten

Pro Person: 6 POINTS

FISCHFILET MIT PAPRIKAGEMÜSE

Für 4 Personen:

2 Knoblauchzehen
1 Gemüsezwiebel
je 3 rote und gelbe Paprikaschoten
4 Tomaten
2 TL Pflanzenöl
Kräutersalz
Pfeffer
Paprikapulver
1 EL weißer Balsamicoessig
einige Tropfen flüssiger Süßstoff
600 g fettarmes Fischfilet (z.B. Kabeljau, Seelachs)
2 EL Zitronensaft
Salz
4 EL saure Sahne
2 TL gehackter Dill
4 Scheiben Baguette

1. Knoblauchzehen hacken, Gemüsezwiebel in grobe Würfel und Paprikaschoten in feine Streifen schneiden. Tomaten kreuzweise einritzen, überbrühen, häuten, entkernen und würfeln.

2. Öl in einer großen Pfanne erhitzen, Knoblauch und Zwiebelwürfel kurz andünsten, Paprikastreifen zugeben und ebenfalls mitdünsten. Tomatenstücke zufügen und alles mit Kräutersalz, Pfeffer, Paprikapulver, Essig und Süßstoff abschmecken.

3. Fischfilets mit Zitronensaft beträufeln, salzen, auf das Paprikagemüse setzen und bei geschlossenem Deckel ca. 10 Minuten dünsten. Saure Sahne mit Dill verrühren und mit Salz und Pfeffer abschmecken. Fischfilet mit Paprikagemüse und einem Klecks Dill-Creme anrichten und zu Baguette servieren.

Zubereitungszeit: ca. 15 Minuten
Garzeit: ca. 15 Minuten

KABELJAU-PFANNE

Für 4 Personen:

450 g Kabeljaufilet
Saft von ½ Zitrone
Salz
3 TL Pflanzenöl
2 Knoblauchzehen
2 Zwiebeln
2 rote Paprikaschoten
1 Zucchini
4 Tomaten
20 g getrocknete Tomaten (ohne Öl)
150 ml Gemüsebrühe (½ TL Instant)
50 ml trockener Weißwein
390 g gegarter Weichweizen (ersatzweise 130 g Reis)
Pfeffer
2 EL gehacktes Basilikum
1 TL Thymian

1. Fischfilet in Würfel schneiden, mit Zitronensaft beträufeln und salzen. Öl in einer Pfanne erhitzen, Fischwürfel darin vorsichtig anbraten, herausnehmen und warm stellen.

2. Knoblauch und Zwiebeln fein würfeln und im verbliebenen Fett dünsten. Paprikaschoten in Streifen, Zucchini und Tomaten in Würfel, getrocknete Tomaten in Stücke schneiden und alles zufügen. Gemüsebrühe und Wein angießen und ca. 5 Minuten garen lassen.

3. Weichweizen und Fisch zufügen, erhitzen und mit Salz und Pfeffer abschmecken. Basilikum und Thymian unterheben und servieren.

Zubereitungszeit: ca. 15 Minuten
Garzeit: ca. 15 Minuten

Pro Person: 4 POINTS

SPARGEL MIT LACHS

Für 4 Personen:

1,5 kg Spargel
Salz
1 Prise Zucker
800 g junge Kartoffeln
4 kleine Lachssteaks (à 125 g)
Saft einer Zitrone
bunter Pfeffer
1 Zwiebel
200 ml Fischfond (Glas)
1 EL heller Saucenbinder (Instantpulver)
1 EL Frischkäse (30 % Fett i. Tr.)
1 EL Pinienkerne
einige Erdbeeren

1. Spargel in Salzwasser mit Zucker ca. 20 Minuten garen. Kartoffeln schälen und in Salzwasser ca. 15 Minuten garen.

2. Lachssteaks mit etwas Zitronensaft beträufeln und mit Pfeffer würzen. Lachssteaks in einer beschichteten Pfanne von jeder Seite ca. 3 Minuten braten und im vorgeheizten Backofen bei 100 Grad (Gas: Stufe 1) warm stellen.

3. Zwiebel fein würfeln und in dem Bratsatz anschwitzen. Fischfond angießen, Saucenbinder einrühren und aufkochen. Frischkäse in die Sauce geben und mit restlichem Zitronensaft, Salz und Pfeffer abschmecken. Lachs und Spargel mit Sauce auf Tellern anrichten und mit Pinienkernen bestreuen. Mit Erdbeeren garnieren und mit Kartoffeln servieren.

Zubereitungszeit: ca. 20 Minuten
Garzeit: ca. 25 Minuten

Pro Person:

FISCHEINTOPF LAGOS

Für 4 Personen:

600 g Fischfilet
(z.B. Seelachs, Kabeljau)
Salz
Pfeffer
2 EL Zitronensaft
2 Zwiebeln
1 Knoblauchzehe
3 Lorbeerblätter
4 Stangen Bleichsellerie
4 Fleischtomaten
400 g grüner Spargel
1 Bund Dill
500 ml Gemüsebrühe
(2 TL Instant)
4 Scheiben Weißbrot
2 TL Kräuterbutter

1. Fisch in Würfel schneiden, in einen Bräter geben, salzen, pfeffern und mit Zitronensaft beträufeln. Zwiebeln fein würfeln, Knoblauchzehe zerdrücken und mit Lorbeerblättern zum Fisch geben.

2. Bleichsellerie in Stücke schneiden. Tomaten überbrühen, häuten, entkernen und in Spalten schneiden. Spargel in ca. 3 cm lange Stücke schneiden. Dill fein hacken. Gemüse und Kräuter auf dem Fisch verteilen, Brühe angießen und im vorgeheizten Backofen bei 200 Grad (Gas: Stufe 3) ca. 25 Minuten schmoren.

3. Weißbrot kurz im Backofen anrösten. Fischeintopf aus dem Ofen nehmen und abschmecken. Geröstetes Brot mit Kräuterbutter bestreichen und zum Fischtopf servieren.

Zubereitungszeit: ca. 10 Minuten
Garzeit: ca. 25 Minuten

Pro Person: 4,5 POINTS

LACHSSTREIFEN MIT LAUCHZWIEBELN

Für 4 Personen:

1 Bund Lauchzwiebeln
2 Knoblauchzehen
1 Zitronengrasstängel (ersatzweise 1 EL Zitronenmelisse)
200 g Zuckererbsenschoten
Salz
Pfeffer
3 EL Sojasauce
½ TL Sambal Oelek
250 g Lachsfilet
2 EL Zitronensaft
360 g gegarter Reis
4 TL gehackter Koriander

1. Lauchzwiebeln in Ringe schneiden, Knoblauchzehen fein hacken, Zitronengras in feine Stücke schneiden und zerstoßen. Lauchzwiebeln in einer beschichteten Pfanne fettfrei andünsten, Knoblauch und Zitronengras zugeben und mitdünsten.

2. Zuckererbsenschoten diagonal halbieren, in die Pfanne geben und unter Rühren ca. 3 Minuten andünsten. Mit Salz und Pfeffer würzen, mit Sojasauce ablöschen und Sambal Oelek unterrühren.

3. Lachsfilet in feine Streifen schneiden, mit Zitronensaft säuern, salzen, pfeffern und zum gedünsteten Gemüse geben. Zugedeckt wenige Minuten gar ziehen lassen. Reis mit Koriander vermengen, mit Lachsstreifen und Gemüse anrichten und servieren.

Zubereitungszeit: ca. 10 Minuten
Garzeit: ca. 12 Minuten

Pro Person: 4,5 POINTS

FISCHFILET AUF GEMÜSEJULIENNE

Für 1 Person:

1 große Karotte
1 kleine Stange Lauch
1 gelbe Paprikaschote
Salz
Pfeffer
½ TL gehackte Petersilie
½ TL gehackter Dill
1 kleines Seelachsfilet (150 g)
1 TL Zitronensaft
100 ml Gemüsebrühe (½ TL Instant)
4 EL Kartoffelpüree/-stock, verzehrfertig

1. Karotte, Lauch und Paprikaschote in feine Streifen schneiden, eine Auflaufform mit der Hälfte des Gemüses auslegen, salzen, pfeffern und mit Petersilie und Dill bestreuen.

2. Seelachsfilet mit Zitronensaft säuern, salzen, auf das Gemüse legen und mit restlichem Gemüse bedecken. Gemüsebrühe angießen und im vorgeheizten Backofen bei 175 Grad (Gas: Stufe 2) ca. 15 Minuten garen.

3. Fischfilet mit Gemüsejulienne und Kartoffelpüree anrichten und servieren.

Zubereitungszeit: ca. 10 Minuten
Garzeit: ca. 15 Minuten

Pro Person: 3 POINTS

DORSCH-PAPRIKA-PFANNE

Für 4 Personen:

600 g Dorschfilet
Salz
Saft von ½ Zitrone
160 g roher Schinken, ohne Fett
2 Zwiebeln
je 2 gelbe und rote Paprikaschoten
2 Stangen Bleichsellerie
250 ml Gemüsebrühe (2 TL Instant)
2 EL heller Balsamicoessig
2 EL Tomatenmark
Pfeffer
Paprikapulver
800 g gekochte Kartoffeln
2 EL gehackte Petersilie

1. Fischfilet salzen, mit Zitronensaft säuern und in Würfel schneiden. Schinken in Würfel schneiden und in einer beschichteten Pfanne knusprig anbraten. Zwiebeln in Ringe und Paprikaschoten in Streifen, Sellerie in Stücke schneiden, Gemüse zufügen, kurz anbraten, mit Brühe ablöschen und ca. 5 Minuten garen.

2. Essig und Tomatenmark unterrühren und mit Salz, Pfeffer und Paprikapulver kräftig würzen. Fischwürfel zufügen und ca. 5 Minuten erhitzen. Dorsch-Paprika-Pfanne mit Kartoffeln und mit Petersilie bestreut servieren.

Zubereitungszeit: ca. 15 Minuten
Garzeit: ca. 15 Minuten

Pro Person: 5 POINTS

TAGLIATELLE MIT SCAMPI-KÄSE-SAUCE

Für 4 Personen:

240 g Tagliatelle, trocken
Salz
300 g Scampi (TK)
1 Fenchelknolle
½ Bund Frühlingszwiebeln
400 ml Gemüsebrühe
(2 TL Instant)
2 Knoblauchzehen
2 TL Dillspitzen
(z.B. von Fuchs)
1 EL heller Saucenbinder
(Instantpulver)
2 EL Schmelzkäse
(30 % Fett i. Tr.)
Pfeffer
1 Salatgurke
4 Tomaten
100 g fettarmer Joghurt
2 TL französische Kräuter
1 TL weißer Balsamicoessig
2 TL Walnüsse, fein gehackt

1. Tagliatelle nach Packungsanweisung in kochendem Salzwasser bissfest garen. Brat-Folie in einer Pfanne erhitzen und Scampi von allen Seiten ca. 10 Minuten anbraten. Fenchel in Streifen, Frühlingszwiebeln in Ringe schneiden. Brat-Folie herausnehmen, Gemüse in die Pfanne geben, Gemüsebrühe angießen, aufkochen lassen und bei milder Hitze ca. 10 Minuten dünsten. Knoblauch zerdrücken, die Hälfte davon mit Dill, Saucenbinder und Schmelzkäse einrühren und mit Salz und Pfeffer abschmecken.

2. Für den Salat Gurke in Scheiben schneiden, Tomaten achteln und beides vermischen. Joghurt mit restlichem Knoblauch, Kräutern und Balsamicoessig verrühren. Mit Salz und Pfeffer abschmecken und über den Gurken-Tomaten-Salat geben. Tagliatelle mit Sauce auf Tellern anrichten, mit Walnüssen bestreuen und dazu Gurken-Tomaten-Salat servieren.

Zubereitungszeit: ca. 15 Minuten
Garzeit: ca. 20 Minuten

Pro Person: 5,5 POINTS

SCHLEMMERFILET À LA BORDELAISE

Für 4 Personen:

4 kleine Kabeljaufilets (à 150 g)
1 EL Zitronensaft
Salz
½ rote und 2 gelbe Paprikaschoten
1 Schalotte
1 Knoblauchzehe
2 EL Paniermehl
1 TL Basilikum, gehackt
1 TL Thymian, gehackt
abgeriebene Schale
1 unbehandelten Zitrone
1 TL Pflanzenmargarine
1 EL Crème fraîche
Pfeffer
350 ml Gemüsebrühe (3 ½ TL Instant)
1 EL Sauerrahm (Schmand, 24 % Fett)
300 g Kirschtomaten
1 Bund Frühlingszwiebeln
150 g Zuckererbsenschoten
4 EL Tomatenmark
1 EL Sojasauce
240 g gegarter Reis

1. Kabeljaufilets mit Zitronensaft beträufeln und salzen. Rote Paprika, Schalotte und Knoblauch fein hacken. Paniermehl, Kräuter, Zitronenschale, Paprika, Schalotte, Knoblauch, Margarine und Crème fraîche verkneten. Masse mit Salz und Pfeffer würzen, Fischfilets in eine Auflaufform legen, Paprika-Kräutermasse darauf verteilen und etwas andrücken.

2. 150 ml Gemüsebrühe mit Sauerrahm verrühren, mit Salz und Pfeffer abschmecken und in die Auflaufform gießen. Schlemmerfilet im Backofen bei 200 Grad (Gas: Stufe 2) ca. 15 Minuten grillen.

3. Kirschtomaten halbieren, Frühlingszwiebeln in Ringe schneiden, Zuckererbsenschoten diagonal durchschneiden und gelbe Paprika würfeln. Gemüse vermengen, salzen, pfeffern und in einer beschichteten Pfanne anbraten. Restliche Gemüsebrühe angießen und unter Rühren ca. 5 Minuten kochen lassen. Tomatenmark unterrühren, aufkochen lassen und mit Sojasauce abschmecken. Schlemmerfilet à la Bordelaise mit buntem Tomatengemüse und Reis servieren.

Zubereitungszeit: ca. 30 Minuten
Garzeit: ca. 20 Minuten

PROVENZALISCHER LACHS-TOPF

Für 4 Personen:

500 g frischer Lachs
2 EL Zitronensaft
Salz
2 Schalotten
2 Knoblauchzehen
4 Stangen Bleichsellerie
4 Karotten
1 Bund Frühlingszwiebeln
3 TL Margarine
2 EL Mehl
500 ml Gemüsebrühe (2 TL Instant)
250 ml Fischfond (Fertigprodukt)
250 ml fettarme Milch
1 TL Dijon-Senf
½ TL geriebener Meerrettich
Pfeffer
geriebene Muskatnuss
2 EL gehackter Estragon

1. Lachs grob würfeln, mit Zitronensaft beträufeln und salzen. Schalotten grob würfeln und Knoblauchzehen zerdrücken. Bleichsellerie sowie Karotten in Scheiben und Frühlingszwiebeln in Ringe schneiden. Margarine in einem Topf erhitzen und das vorbereitete Gemüse darin andünsten. Mehl darüber stäuben, kurz anschwitzen, unter Rühren mit Brühe, Fischfond sowie Milch ablöschen und kurz aufkochen.

2. Senf und Meerrettich unterrühren und alles mit Salz, Pfeffer und Muskatnuss abschmecken. Fischwürfel in der heißen Suppe bei mittlerer Hitze ca. 10 Minuten gar ziehen lassen. Suppe mit Estragon bestreut servieren.

Zubereitungszeit: ca. 10 Minuten
Garzeit: ca. 15 Minuten

Pro Person: 5 POINTS

SEELACHS MIT KOHL-RABI-KARTOFFEL-SALAT

Für 1 Person:

250 g Frühkartoffeln
1 Kohlrabi
Salz
100 g fettarmer Joghurt
Pfeffer
geriebene Muskatnuss
1 kleines Seelachsfilet (150 g)
1 TL Zitronensaft

1. Kartoffeln und Kohlrabi in dünne Stifte schneiden und in Salzwasser ca. 15 Minuten garen. Gemüse herausnehmen, Joghurt mit 100 ml Kochwasser verrühren, mit Salz, Pfeffer und Muskatnuss abschmecken und zu dem gegarten Gemüse geben.

2. Seelachsfilet waschen, mit Zitronensaft beträufeln, leicht salzen und in einer mit Brat-Folie ausgelegten Pfanne ca. 10 Minuten bei geringer Hitze fettfrei braten. Seelachsfilet zu dem warmen Kohlrabi-Kartoffel-Salat servieren.

Zubereitungszeit: ca. 10 Minuten
Garzeit: ca. 25 Minuten

Pro Person: 5 POINTS

PUTEN-PFANNE IN FRUCHTIGER SAUCE

1. Putenfilet in Streifen schneiden. Öl in einer Pfanne erhitzen, Putenfleisch darin rundherum anbraten. Mit Salz und Pfeffer würzen, herausnehmen und warm stellen.

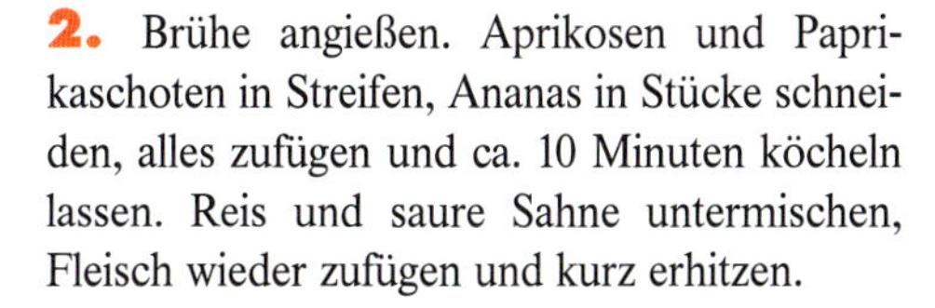

2. Brühe angießen. Aprikosen und Paprikaschoten in Streifen, Ananas in Stücke schneiden, alles zufügen und ca. 10 Minuten köcheln lassen. Reis und saure Sahne untermischen, Fleisch wieder zufügen und kurz erhitzen.

3. Für den Salat Kopfsalate in mundgerechte Stücke zupfen. Schnittlauch in feine Ringe schneiden. Schnittlauch mit saurer Sahne und Essig vermischen und mit Salz, Pfeffer und Süßstoff abschmecken. Salat mit dem Dressing beträufeln und mit der Puten-Pfanne servieren.

Zubereitungszeit: ca. 25 Minuten
Garzeit: ca. 15 Minuten

Für 4 Personen:

FÜR DIE PUTEN-PFANNE:
480 g Putenfilet
3 TL Pflanzenöl
Salz
Pfeffer
150 ml Geflügelbrühe
(1 ½ TL Instant)
60 g getrocknete Aprikosen
3 gelbe Paprikaschoten
200 g Ananas (Konserve ohne Zucker)
320 g gegarte Wildreismischung
4 EL saure Sahne

FÜR DEN KOPFSALAT:
2 kleine grüne Kopfsalate
1 Bund Schnittlauch
3 EL saure Sahne
4 EL Weißweinessig
einige Tropfen flüssiger Süßstoff

Pro Person: 6 POINTS

PUTEN-CURRY INDIA

Für 4 Personen:

360 g Putenbrustfilet
3 TL Geflügel-Würzer (z. B. Fuchs)
3 TL Pflanzenöl
3 rote Paprikaschoten
200 g Bambussprossen (ersatzweise Konserve)
150 g Erbsen (TK)
100 ml Orangensaft, ohne Zucker
2 EL geschälte Erdnüsse
4 EL saure Sahne
1 ½ TL Currypulver
¼ TL gemahlener Koriander
Salz
Pfeffer
½ Bund Petersilie
320 g gegarter Reis

1. Putenbrustfilet in Streifen schneiden, mit Geflügel-Würzer bestreuen und in erhitztem Öl anbraten. Paprikaschoten grob würfeln, Bambussprossen in Streifen schneiden und mit Erbsen zugeben. Orangensaft angießen und bei geringer Hitze ca. 10 Minuten dünsten.

2. Erdnüsse einstreuen, saure Sahne hinzufügen und mit Currypulver, Koriander, Salz und Pfeffer abschmecken. Petersilie fein hacken, mit dem Reis mischen und zum Puten-Curry servieren.

Zubereitungszeit: ca. 20 Minuten
Garzeit: ca. 20 Minuten

Pro Person: 6 POINTS

PUTENROLLE MIT SCHMORTOMATEN UND KARTOFFELN

Für 1 Person:

1 kleines Putenschnitzel (120 g)
2 Scheiben roher Schinken, ohne Fett
1 TL Pflanzenöl
3 Tomaten
Thymian
Salz
Pfeffer
50 ml Fleischbrühe (½ TL Instant)
3 gekochte Kartoffeln

1. Putenschnitzel mit Schinken belegen und einrollen. Öl in einer beschichteten Pfanne erhitzen und die Putenrolle kräftig von allen Seiten ca. 5 Minuten anbraten.

2. Tomaten kreuzförmig einschneiden, mit Thymian, Salz und Pfeffer würzen und zu der Putenrolle geben. Mit Brühe aufgießen und ca. 10 Minuten abgedeckt dünsten. Putenrolle mit Schmortomaten und Kartoffeln servieren.

Zubereitungszeit: ca. 5 Minuten
Garzeit: ca. 15 Minuten

Pro Person: 6 POINTS

PUTEN-GESCHNETZELTES

1. Putenschnitzel in dünne Streifen schneiden und in einer beschichteten Pfanne fettfrei anbraten. Tomaten kreuzweise einschneiden, mit heißem Wasser überbrühen, häuten, halbieren und entkernen. Tomatenfleisch, Schalotten sowie Knoblauchzehe würfeln, Champignons in Scheiben und Paprikaschote in Streifen schneiden. Gemüse zum Puten-Geschnetzelten geben und ca. 5 Minuten mitdünsten.

2. Wildreis-Mischung zugeben und alles kräftig mit Sojasauce, Salz und Pfeffer abschmecken und mit Petersilie bestreut servieren.

Zubereitungszeit: ca. 5 Minuten
Garzeit: ca. 12 Minuten

Für 1 Person:

1 kleines Putenschnitzel (120 g)
2 Tomaten
2 Schalotten
1 Knoblauchzehe
200 g Champignons
1 grüne Paprikaschote
120 g gegarte Wildreis-Mischung
Sojasauce
Salz
Pfeffer
½ TL gehackte Petersilie

Pro Person:

SÜSS-SCHARFE PUTENBRUST

Für 4 Personen:

2 TL süßer Senf
4 EL Ketchup
4 TL Honig
4 EL Sojasauce
1 EL Chilisauce
1 TL Ingwerpulver
Salz
einige Tropfen flüssiger Süßstoff
480 g Putenbrustfilet
1 TL grober Pfeffer

1. Senf mit Ketchup, Honig, Soja- und Chilisauce verrühren. Marinade mit Ingwer, Salz und Süßstoff abschmecken. Putenfleisch in 4 Stücke schneiden und in der Marinade ca. 6 Stunden einlegen.

2. Fleisch aus der Marinade nehmen, abtropfen lassen und auf Aluminiumgrillschalen setzen. Auf dem Grill ca. 15 Minuten grillen, dabei mehrmals wenden und mit der Marinade bestreichen. Mit Pfeffer bestreut servieren.

Zubereitungszeit: ca. 5 Minuten
Marinierzeit: ca. 6 Stunden
Garzeit: ca. 15 Minuten

Pro Person: 3 POINTS

PUTENFILET MIT PREISELBEERSAUCE

1. Putenbrust mit Salz und Pfeffer einreiben, in erhitztem Öl von beiden Seiten scharf anbraten und bei mittlerer Hitze abgedeckt ca. 20 Minuten garen.

2. Preiselbeeren mit Zucker und 7 Esslöffeln Wasser in einen Topf geben. 2 Äpfel schälen, in feine Spalten schneiden und zu den Preiselbeeren geben. Zugedeckt bei mittlerer Hitze ca. 15 Minuten köcheln lassen. Zwischendurch umrühren und etwa 2–3 Esslöffel Wasser nachgießen. Mit Orangenschale und Nelkenpulver abschmecken und kalt stellen.

3. Restliche Äpfel grob raspeln, Sellerie in feine Scheiben, Zwiebeln in Würfel schneiden und alles mischen. Quark mit Mineralwasser glatt rühren, mit Salz, Pfeffer, Zitronensaft und Süßstoff pikant abschmecken und über die Salatzutaten träufeln.

4. Fleisch in Scheiben schneiden und mit Preiselbeeren auf Tellern anrichten. Reis mit Schnittlauch mischen und mit Salat dazu servieren.

Für 4 Personen:

480 g Putenbrustfilet
Salz
Pfeffer
2 TL Pflanzenöl
100 g Preiselbeeren
2 EL brauner Zucker
4 säuerliche Äpfel (z. B. Elstar)
1 TL abgeriebene Orangenschale
1 Msp. Nelkenpulver
4 Stangen Bleichsellerie
2 Zwiebeln
150 g Magerquark
50 ml Mineralwasser
1 EL Zitronensaft
einige Tropfen flüssiger Süßstoff
320 g gegarter Langkorn-Reis & Wildreis (z.B. Uncle Ben's)
2 EL Schnittlauchringe

Zubereitungszeit: ca. 15 Minuten
Garzeit: ca. 25 Minuten

Pro Person: 5,5 POINTS

SCHAFKÄSE-PUTENROLLEN

Für 4 Personen:

120 g Schafkäse
½ rote Paprikaschote
1 Knoblauchzehe
5 grüne Oliven, mit Paprikafüllung
4 EL fettarme Milch
1 EL geriebener Parmesan (32 % Fett i. Tr.)
2 TL Schnittlauchringe
Salz
bunter Pfeffer
Paprikapulver
2 dünne Putenschnitzel (à 120 g)
2 TL Pflanzenöl
einige Salatblätter
8 Baguettescheiben

1. Schafkäse zerdrücken, Paprikaschote in sehr feine Würfel schneiden, Knoblauchzehe zerdrücken und Oliven in Scheiben schneiden. Alles mit Milch, Parmesan und Schnittlauchringen verrühren und mit Salz, buntem Pfeffer und Paprikapulver abschmecken.

2. Putenschnitzel flach klopfen, mit der Creme bestreichen, aufrollen und feststecken. Öl in einer beschichteten Pfanne erhitzen, Putenrollen rundherum ca. 20 Minuten braten und schräg in jeweils 4 Scheiben schneiden. Die Scheiben dekorativ mit Salatblättern auf Baguettescheiben anrichten und mit Holzspießen feststecken.

Zubereitungszeit: ca. 10 Minuten
Garzeit: ca. 20 Minuten

PUTENSCHNITZEL IN ORANGEN-INGWER-SAUCE

Für 4 Personen:

4 Putenschnitzel (à 120 g)
Salz
Pfeffer
3 TL Pflanzenöl
2 TL Erdnusscreme
4 TL Kokosnussraspel
2 unbehandelte Orangen
1 kleines Stück frischer Ingwer (ca. 4 cm lang)
100 ml Gemüsebrühe (1 TL Instant)
250 g fettarmer Joghurt
Currypulver
einige Tropfen flüssiger Süßstoff
1 Chinakohl
3 EL Weißweinessig
4 EL Gemüsebrühe (1 Msp. Instant)
2 EL gehackte Petersilie
360 g gegarter Reis

1. Putenschnitzel salzen und pfeffern. Öl in einer Pfanne erhitzen, Schnitzel zufügen und von beiden Seiten jeweils ca. 5 Minuten anbraten. Putenschnitzel aus der Pfanne nehmen, auf ein mit Back-Folie ausgelegtes Blech setzen, mit Erdnusscreme bestreichen und mit Kokosnussraspel bestreuen. Im Backofen bei 150 Grad (Gas: Stufe 1) ca. 15 Minuten garen.

2. Orangen heiß abwaschen und von ½ Orange die Schale fein abreiben. Orangen halbieren und Saft auspressen. Ingwer fein reiben. Bratensud von den Putenschnitzeln mit Orangensaft loskochen, Ingwer, Orangenschale und Brühe zufügen und ca. 10 Minuten kochen lassen. Joghurt einrühren und mit Currypulver und Süßstoff abschmecken.

3. Chinakohl in Streifen schneiden. Essig, Brühe und Petersilie verrühren, mit Salz, Pfeffer und Süßstoff abschmecken und mit dem Chinakohl vermengen. Die Putenschnitzel aus dem Backofen nehmen, mit der Sauce auf Tellern anrichten und zu Reis und Salat servieren.

Zubereitungszeit: ca. 15 Minuten
Garzeit: ca. 30 Minuten

Pro Person: 7 POINTS

PUTENSCHNITZEL »ALTES LAND«

Für 1 Person:

1 Zwiebel
2 Scheiben roher Schinken, ohne Fett
2 Äpfel (z. B. Boskoop)
2 EL geriebener Parmesan (32% Fett i. Tr.)
Salz
Pfeffer
1 dünnes Putenschnitzel (120 g)
1 TL Pflanzenöl
3 gekochte Kartoffeln
2 TL Weißwein
1 TL Zucker

1. Zwiebel, Schinken und einen halben Apfel fein würfeln. Die Hälfte der Zwiebel- und Schinkenwürfel mit Apfelwürfeln in einer beschichteten Pfanne ohne Fett ca. 5 Minuten anbraten. Mit Parmesan, Salz und Pfeffer vermengen und auf dem Putenschnitzel verteilen. Schnitzel zusammenklappen und mit Holzstäbchen feststecken.

2. Öl in einer Pfanne erhitzen, Putenschnitzel darin von jeder Seite anbraten und zugedeckt ca. 10 Minuten schmoren lassen. Kartoffeln in Scheiben schneiden, in der gleichen Pfanne goldbraun braten und mit Salz und Pfeffer würzen.

3. Restliche Äpfel in grobe Stücke schneiden und mit restlichen Schinken- und Zwiebelwürfeln andünsten. Weißwein und Zucker zugeben und ca. 5 Minuten weich dünsten. Putenschnitzel mit gebratenen Äpfeln und Bratkartoffeln servieren.

Zubereitungszeit: ca. 30 Minuten
Garzeit: ca. 20 Minuten

PUTENRAGOUT UNTER DER HAUBE

Für 4 Personen:

480 g Putenbrustfilet
Saft einer Zitrone
2 Zwiebeln
500 g Champignons
1 Bund Frühlingszwiebeln
Salz
Pfeffer
375 ml fettarme Milch
2 EL Mehl
2 TL mittelscharfer Senf
180 g Hefe-Frischteig (Fertigprodukt)

1. Putenbrustfilet in schmale Streifen schneiden und mit Zitronensaft beträufeln. Zwiebeln fein würfeln, Champignons in Scheiben und Frühlingszwiebeln in Ringe schneiden.

2. Fleischstreifen in einer beschichteten Pfanne fettfrei anbraten, salzen, pfeffern, herausnehmen und beiseite stellen. Zwiebelwürfel, Champignonscheiben und Frühlingszwiebelringe ebenfalls fettfrei in der beschichteten Pfanne andünsten. Filetstreifen dazugeben und mit dem Gemüse vermengen. Nochmals mit Salz und Pfeffer abschmecken und alles in eine Auflaufform füllen.

3. Milch und Mehl in einem kleinen Topf verrühren und einmal kurz aufkochen lassen. Mit Senf, Salz und Pfeffer abschmecken und über das Fleisch gießen. 3/4 des Hefeteiges in Größe der Auflaufform ausrollen und über das Fleisch legen. Aus dem restlichen Teig Verzierungen ausschneiden und auf dem Teig verteilen. Im vorgeheizten Backofen bei 200 Grad (Gas: Stufe 3) ca. 15 Minuten goldbraun backen.

Zubereitungszeit: ca. 20 Minuten
Garzeit: ca. 15 Minuten
Backzeit: ca. 15 Minuten

ROTES HÜHNER-CURRY

1. Kokosnussmilch erhitzen, Currypaste einrühren, Chilischoten zufügen und ca. 3 Minuten garen. Hähnchenfleisch in Streifen schneiden, mit Sojasauce und Limettenblättern zufügen und aufkochen.

2. Auberginen in Würfel und Champignons in Scheiben schneiden. Beides zufügen, mit Salz, Zucker und Limettensaft abschmecken und ca. 8 Minuten garen. Rotes Hühner-Curry mit Reis servieren.

Zubereitungszeit: ca. 5 Minuten
Garzeit: ca. 15 Minuten

Für 4 Personen:

200 ml Kokosnussmilch zum Kochen, Konzentrat
1 EL rote Currypaste
2 getrocknete Chilischoten
360 g Hähnchenbrustfilet
2 EL helle Sojasauce
2 Limettenblätter (ersatzweise 1 TL abgeriebene Zitronenschale)
2 Auberginen
200 g Champignons
Salz
1 TL Zucker
1 EL Limettensaft (ersatzweise Zitronensaft)
320 g gegarter Reis

Pro Person:

Currypaste
Currypasten werden in Thailand meist selbst hergestellt. Besonders praktisch sind fertige Currypasten, die in Asia-Shops erhältlich sind. Die fertigen Würzpasten erleichtern die Zubereitung erheblich und sorgen für das besondere exotische Aroma. Die bekanntesten Currypasten sind:
Rote Currypaste (Gäng Ped Bäng), Grüne Currypaste (Gäng Kiau Wan) und Pänang Currypaste (Gäng Pänang). Die würzigen Saucen bestehen aus Chilischoten, Koriander, Kreuzkümmel, schwarzem Pfeffer, Zimt, Muskatnuss, Knoblauch, Zitronengras, Ingwer, Garnelenpaste und Salz.

SCHARFES CURRY MIT HUHN

Für 4 Personen:

360 g Hähnchenbrustfilet
3 EL Sojasauce
3 TL Erdnussöl (ersatzweise Pflanzenöl)
100 g Maiskölbchen (Konserve)
1 grüne Chilischote
3 Tomaten
1 Stängel Zitronengras
Pfeffer
100 g Zuckerschoten
200 g Sojabohnensprossen
200 ml Kokosnussmilch zum Kochen, Konzentrat
2 TL grüne Currypaste (ersatzweise Currypulver)
½ Bund Thai-Basilikum (ersatzweise Basilikum)
einige Tropfen flüssiger Süßstoff
Salz
2 EL gehackte Erdnüsse
320 g gegarter Basmati-Reis

1. Hähnchenfleisch in Würfel schneiden. Sojasauce und Erdnussöl verrühren und Fleisch darin ca. 20 Minuten marinieren. Maiskolben abtropfen lassen, halbieren, Chilischote entkernen, fein hacken, Tomaten entkernen und in Spalten, Zitronengras in Stücke schneiden.

2. Hähnchenmarinade in einer Pfanne erhitzen, Fleisch darin rundherum anbraten, pfeffern und herausnehmen. Vorbereitetes Gemüse, Zuckerschoten, Sprossen und Chilischote zugeben und kurz anbraten. Kokosnussmilch angießen, Currypaste einrühren, Zitronengras zufügen und kurz köcheln lassen.

3. Basilikum in Streifen schneiden, mit dem Hähnchenfleisch zufügen und mit Süßstoff, Salz und Pfeffer abschmecken. Gehackte Erdnüsse mit Basmati-Reis mischen und zum scharfen Curry servieren.

Zubereitungszeit: ca. 20 Minuten
Marinierzeit: ca. 20 Minuten
Garzeit: ca. 15 Minuten

Pro Person: 7,5 POINTS

HÄHNCHENBRUST MIT MANGO-CHUTNEY

Für 4 Personen:

1 Knoblauchzehe
1 kleine Mango (200 g)
2 kleine Zwiebeln
je 2 rote und gelbe Paprikaschoten
200 g Pfirsiche (Konserve ohne Zucker)
1 TL Erdnussöl (ersatzweise Sonnenblumenöl)
600 g passierte Tomaten (Konserve)
4 TL Honig
2 EL Sojasauce
2 EL Tomatenmark
Salz
Pfeffer
einige Tropfen flüssiger Süßstoff
480 g Hähnchenbrustfilet
320 g gegarter Reis

1. Knoblauchzehe zerdrücken. Mango, Zwiebeln, Paprikaschoten und Pfirsiche in feine Würfel schneiden. Öl in einem Topf erhitzen, Knoblauch und Zwiebeln glasig andünsten. Mango-, Paprika- und Pfirsichwürfel zufügen, kurz anschwitzen und mit Tomaten ablöschen.

2. Honig, Sojasauce und Tomatenmark unterrühren und mit Salz, Pfeffer und Süßstoff abschmecken. Mango-Chutney bei milder Hitze ca. 30 Minuten einkochen. Kräftig abschmecken und abkühlen lassen.

3. Fleisch in eine flache Auflaufform setzen, mit Mango-Chutney übergießen und über Nacht ziehen lassen. Im vorgeheizten Backofen bei 200 Grad (Gas: Stufe 3) ca. 40 Minuten garen. Hähnchenbrust und Mango-Chutney mit Reis servieren.

Zubereitungszeit: ca. 15 Minuten
Garzeit: ca. 1 Stunde + 20 Minuten
Marinierzeit: ca. 12 Stunden

Chutneys: Würziges Obst und Gemüse

Die Bezeichnung Chutney kommt aus der indischen Küche. Es handelt sich um süß-sauer scharfes, eingekochtes Gemüse oder Obst, das gerne zum Dippen oder Würzen von kurzgebratenem Fleisch, Fisch und Gemüse gegessen wird. Wie in diesem Rezept können Sie das Fleisch auch wunderbar im Chutney einlegen. Das Fleisch bekommt eine feine Würznote und bleibt außerdem schön saftig.

HÄHNCHENBRUST MIT CURRY-REIS

1. Honig und Sojasauce mit 3 Teelöffeln Öl zu einer Marinade anrühren und die Hähnchenbrust darin mindestens 2 Stunden einlegen.

2. Hähnchenbrust in eine flache Auflaufform oder in die Fettpfanne legen und im vorgeheizten Backofen bei 180 Grad (Gas: Stufe 2) ca. 30 Minuten garen, dabei mehrmals mit der Marinade bestreichen.

3. Reis und Currypulver im restlichen Öl anschwitzen, Wasser angießen, salzen und zugedeckt ca. 20 Minuten garen, bis der Reis die gesamte Flüssigkeit aufgenommen hat.

4. Chinakohl in Streifen, Karotten in Scheiben schneiden und in einer beschichteten Pfanne fettfrei andünsten. 4 Esslöffel Wasser angießen und zugedeckt ca. 5 Minuten dünsten. Gemüse mit Salz und Pfeffer abschmecken und mit Fleisch und Reis servieren.

Für 4 Personen:

4 TL Honig
2 EL Sojasauce
4 TL Pflanzenöl
420 g Hähnchenbrust
160 g Reis, trocken
1 TL Currypulver
320 ml Wasser
Salz
1 Chinakohl
3 Karotten

Zubereitungszeit: ca. 20 Minuten
Marinierzeit: ca. 2 Stunden
Garzeit: ca. 30 Minuten

Pro Person: 5 POINTS

HÄHNCHEN-SPARGEL-PFANNE

Für 4 Personen:

360 g Hähnchenbrustfilet
1 TL Speisestärke
2 TL Sesamöl
je 500 g weißer und grüner Spargel
2 Stängel Zitronengras
2 TL Pflanzenöl
Salz
Pfeffer
100 ml Gemüsebrühe (1 TL Instant)
Saft von 1 Zitrone
100 ml Kokosnussmilch zum Kochen, Konzentrat
Sojasauce
einige Tropfen flüssiger Süßstoff
20 g Kokoschips
einige Petersilienblätter

1. Hähnchenbrustfilet in Würfel schneiden, erst mit Speisestärke und anschließend mit Sesamöl vermischen. Spargel schräg in ca. 2 cm lange Stücke schneiden, Zitronengras in grobe Stücke schneiden. Öl in einer beschichteten Pfanne erhitzen und Hähnchenbrust darin anbraten, mit Salz und Pfeffer würzen und herausnehmen.

2. Zitronengras und Spargel im verbliebenen Fett unter ständigem Rühren ca. 5 Minuten braten, mit Gemüsebrühe ablöschen, Zitronensaft und Kokosnussmilch zugeben und ca. 5 Minuten köcheln lassen. Hähnchenfleisch zugeben, mit Sojasauce, Süßstoff und Pfeffer abschmecken, mit Kokoschips bestreut und mit Petersilie garniert servieren.

Zubereitungszeit: ca. 20 Minuten
Garzeit: ca. 20 Minuten

SAFTIGE HÄHNCHEN-SPIESSE MIT CURRYSAUCE

Für 1 Person:

1 kleines Hähnchenbrustfilet (120 g)
Salz
Currypulver
1 Kiwi
1 Scheibe Ananas (Konserve ohne Zucker)
1 Orange
2 Holzspieße
75 g Magermilch-Joghurt
1 EL saure Sahne
1 EL Ananassaft, ohne Zucker
einige Tropfen flüssiger Süßstoff
1 Vollkornbrötchen

1. Hähnchenbrustfilet würfeln, mit Salz und Currypulver würzen und in einer beschichteten Pfanne von allen Seiten ca. 8 Minuten fettfrei anbraten. Kiwi, Ananas und Orange in Stücke schneiden. Fleischwürfel abwechselnd mit Kiwi-, Ananas- sowie Orangenstücken auf Spieße stecken.

2. Joghurt, saure Sahne und Ananassaft verrühren und mit Currypulver, Salz und Süßstoff abschmecken. Hähnchenspieße mit Currysauce und Vollkornbrötchen servieren.

Zubereitungszeit: ca. 10 Minuten
Garzeit: ca. 8 Minuten

Pro Person: 5 POINTS

TANDOORI-HÄHNCHEN

1. Hähnchenfilets in grobe Stücke teilen und mehrmals einschneiden, damit die Gewürze besser eindringen können. Mit Essig einreiben und mit Salz bestreuen. Ingwer fein reiben, Knoblauchzehen zerdrücken und mit Joghurt und Tandoori-Würzmischung verrühren. Fleisch mit der Joghurt-Marinade verrühren und ca. 12 Stunden darin marinieren. Fleisch auf ein mit Aluminiumfolie ausgelegtes Backblech setzen und im vorgeheizten Backofen bei 175 Grad (Gas: Stufe 2) ca. 30 Minuten garen.

2. Zwiebeln in Ringe, Karotten in Stifte schneiden und Spinat in grobe Stücke zupfen. Öl in einem Topf erhitzen, Zimtstange, Nelken und Kardamomkapseln zufügen und kurz anrösten. Karottenstifte, Zwiebelringe und Erbsen zufügen und ca. 2 Minuten anbraten. Spinat unterheben und zusammenfallen lassen. Reis, Brühe, Salz und Cayennepfeffer in den Topf geben, aufkochen und bei milder Hitze ca. 15 Minuten garen. Abschmecken und mit Tandoori-Hähnchen servieren.

Zubereitungszeit: ca. 10 Minuten
Marinierzeit: ca. 12 Stunden
Garzeit: ca. 35 Minuten

Für 4 Personen:

FÜR DAS TANDOORI-HÄHNCHEN:

4 Hähnchenbrustfilets (à 120 g)
4 EL Obstessig
Salz
1 Stück frischer Ingwer (ca. 4 cm)
2 Knoblauchzehen
250 g fettarmer Joghurt
3 EL Tandoori-Würzmischung

FÜR DEN GEMÜSE-REIS:

2 Zwiebeln
4 Karotten
200 g frischer Spinat (ersatzweise 100 g TK)
2 TL Pflanzenöl
1 Zimtstange (ersatzweise ½ TL Zimtpulver)
2 Gewürznelken
4 Kardamomkapseln
200 g Erbsen (TK)
160 g Reis, trocken
½ l Gemüsebrühe (2 TL Instant)
1 Prise Cayennepfeffer

Pro Person:

ASIATISCHE HÄHNCHENPFANNE MIT KOKOS

Für 4 Personen:

480 g Hähnchenbrustfilets
1 TL Pflanzenöl
1 Chinakohl
4 rote Paprikaschoten
200 ml Kokosnussmilch zum Kochen, Konzentrat
2 EL heller Saucenbinder (Instantpulver)
Salz
Cayennepfeffer
1 TL Currypulver
1 TL geriebener Ingwer
1 TL Kreuzkümmel
1 Msp. Kardamom

1. Hähnchenbrustfilets in feine Streifen schneiden, Öl in einer beschichteten Pfanne erhitzen und das Fleisch darin anbraten.

2. Chinakohl und Paprikaschoten in Streifen schneiden. Gemüse zum Fleisch in die Pfanne geben und kurz mitdünsten. Kokosmilch angießen, mit Saucenbinder andicken und mit Salz, Cayennepfeffer, Currypulver, Ingwer, Kreuzkümmel und Kardamom abschmecken.

Zubereitungszeit: ca. 10 Minuten
Garzeit: ca. 10 Minuten

Pro Person: 4,5 POINTS

OCONU
MILK

SCHMORBRATEN MIT ROSMARINSAUCE

Für 4 Personen:

4 große Knoblauchzehen
500 g Rinderfilet
10 kleine Zweige Rosmarin
2 Zwiebeln
400 g Champignons
300 ml dunkler Rinderfond (Glas) (ersatzweise Gemüsebrühe)
1 kg Kartoffeln
1 kg Broccoli
Salz
4 EL dunkler Saucenbinder (Instantpulver)
4 EL saure Sahne
Pfeffer

1. Knoblauchzehen längs halbieren oder vierteln. Mit einem spitzen Küchenmesser kleine Schnitte in das Rinderfilet schneiden. Knoblauchspalten und 5 Rosmarinzweige in die vorbereiteten Taschen stecken.

2. Fleisch in einen beschichteten Bräter legen und im vorgeheizten Backofen bei 220 Grad (Gas: Stufe 3) ca. 10 Minuten anbraten. Zwiebeln grob würfeln, mit Champignons, restlichem Rosmarin und Rinderfond zum Fleisch geben und zugedeckt ca. 20 Minuten schmoren.

3. Kartoffeln und Broccoli jeweils ca. 20 Minuten in Salzwasser garen.

4. Fleisch aus dem Bräter nehmen und abgedeckt einige Minuten ruhen lassen. Rosmarinsauce mit 100 ml Wasser auffüllen, mit Saucenbinder andicken und nochmals aufkochen lassen. Saure Sahne einrühren und mit Salz und Pfeffer abschmecken. Fleisch in Scheiben schneiden und mit Rosmarinsauce, Kartoffeln und Broccoli servieren.

Zubereitungszeit: ca. 30 Minuten
Garzeit: ca. 40 Minuten

Pro Person:

ROULADE MIT ROSENKOHL UND KARTOFFELN

1. Gewürzgurke längs in Scheiben, ½ Zwiebel in Streifen schneiden. Rouladenfleisch mit Senf bestreichen, salzen und pfeffern. Gurkenscheiben und Zwiebelstreifen darauf legen. Roulade aufrollen und mit Küchengarn festbinden oder mit Rouladennadeln feststecken.

2. Restliche Zwiebeln und Karotten grob zerkleinern. Roulade in einer beschichteten Pfanne fettfrei rundherum anbraten, Zwiebel- und Karottenstücke hinzugeben, Gemüsebrühe angießen und zugedeckt ca. 40 Minuten schmoren.

3. Rosenkohl ca. 20 Minuten in Salzwasser mit Muskatnuss garen.

4. Roulade aus der Pfanne nehmen, Bratsatz pürieren und mit Saucenbinder andicken. Roulade mit Rosenkohl, Kartoffeln und Sauce servieren.

Für 1 Person:

1 kleine Gewürzgurke
2 Zwiebeln
1 kleine Rinderroulade (160 g)
1 TL Senf
Salz
Pfeffer
2 Karotten
100 ml Gemüsebrühe (¼ TL Instant)
200 g Rosenkohl
1 Prise geriebene Muskatnuss
1 TL dunkler Saucenbinder (Instant)
3 gekochte Kartoffeln

Zubereitungszeit: ca. 20 Minuten
Garzeit: ca. 40 Minuten

KALBSROULADEN PARISIENNE

Für 2 Personen:

2 dünne Scheiben Kalbfleisch, mager (à 125 g)
1 TL Senf
Salz
Pfeffer
Paprikapulver
2 Scheiben roher Schinken, ohne Fett
4 EL saure Sahne
250 g Champignons
½ Bund Frühlingszwiebeln
8 kleine Zwiebeln
250 ml Gemüsebrühe (1 TL Instant)
2 EL heller Saucenbinder (Instantpulver)
6 mittelgroße gekochte Kartoffeln

1. Kalbfleisch platt klopfen, mit Senf bestreichen und mit Salz, Pfeffer und Paprikapulver würzen. Schinken längs in breite Streifen schneiden, auf die beiden Fleischscheiben legen und dünn mit 2 Esslöffeln saurer Sahne bestreichen. Ein Drittel der Champignons fein würfeln, Frühlingszwiebeln in feine Ringe schneiden und auf den Rouladen verteilen. Rouladen vorsichtig fest aufrollen und mit Küchengarn umwickeln.

2. Zwiebeln abziehen und mit Rouladen in einem beschichteten Bräter fettfrei anbraten. Restliche Champignons und Gemüsebrühe in den Bräter geben und im vorgeheizten Backofen bei 200 Grad (Gas: Stufe 3) ca. 30 Minuten schmoren.

3. Rouladen herausnehmen und warm stellen. Saucenbinder einrühren und aufkochen lassen. Restliche saure Sahne und nach Wunsch etwas Senf in die Sauce geben und mit Salz und Pfeffer abschmecken. Rouladen in Scheiben schneiden und mit Kartoffeln und Zwiebel-Sauce servieren.

Zubereitungszeit: ca. 20 Minuten
Garzeit: ca. 45 Minuten

ZÜRICHER GESCHNETZELTES

Für 4 Personen:

FÜR DAS GESCHNETZELTE:
500 g mageres Kalbfleisch
250 g weiße Champignons
250 g braune Champignons
8 Gewürzgurken
4 kleine Zwiebeln
2 TL Pflanzenöl
200 ml trockener Weißwein
100 ml Gemüsebrühe
(1 TL Instant)
125 ml fettarme Milch
2 EL heller Saucenbinder
(Instantpulver)
Salz
Pfeffer

FÜR DEN GURKENSALAT:
2 kleine Salatgurken
2 Schalotten
3 EL Weißweinessig
2 TL Olivenöl
2 EL Gemüsebrühe
(1 Msp. Instant)
1 EL milder Senf
einige Tropfen flüssiger Süßstoff
320 g gegarter Naturreis

1. Kalbfleisch in Streifen, Champignons in Scheiben, Gewürzgurken und Zwiebeln in Würfel schneiden. Öl in einer beschichteten Pfanne erhitzen, Kalbfleischstreifen darin anbraten und herausnehmen. Zwiebelwürfel im verbliebenen Bratsud andünsten, Champignonscheiben zugeben und ca. 5 Minuten unter gelegentlichem Rühren anbraten.

2. Weißwein, Brühe und Milch angießen, aufkochen lassen, mit Saucenbinder binden. Kalbfleisch und Gewürzgurkenwürfel zugeben und mit Salz und Pfeffer pikant abschmecken.

3. Für den Salat Gurken schälen, längs halbieren, Kerne entfernen und in Halbmonde schneiden. Schalotten würfeln, mit Essig, Öl, Brühe und Senf zu einer Vinaigrette verrühren, mit Salz, Pfeffer und Süßstoff pikant abschmecken und mit den Gurkenscheiben vermischen. Züricher Geschnetzeltes mit Reis und Gurkensalat servieren.

Zubereitungszeit: ca. 20 Minuten
Garzeit: ca. 15 Minuten

Pro Person: 

BROCCOLI-PFANNE MIT SCHWEINEFLEISCH

Für 4 Personen:

300 g Schweineschnitzel, mager
Salz
Pfeffer
2 TL Pflanzenöl
4 weiße Zwiebeln
1 kleines Stück Ingwer
400 g Broccoli
1 kleine Salatgurke
2 rote Paprikaschoten
200 ml Geflügelbrühe (2 TL Instant)
1 EL Zitronensaft
200 g passierte Tomaten
Currypulver
Cayennepfeffer
Koriander
320 g gegarter Reis
4 TL Sesam

1. Fleisch in kleine Würfel schneiden, salzen, pfeffern und in erhitztem Öl anbraten. Zwiebeln würfeln, Ingwer fein reiben, beides zugeben und ca. 5 Minuten mitbraten. Broccoli in kleine Röschen teilen, Gurke entkernen, mit den Paprikaschoten in feine Streifen schneiden, alles zufügen und kurz mitdünsten.

2. Geflügelbrühe, Zitronensaft und passierte Tomaten zugeben und ca. 10 Minuten köcheln lassen. Mit Salz, Pfeffer, Currypulver, Cayennepfeffer und Koriander abschmecken. Reis und Sesam vermischen und zur Broccoli-Pfanne servieren.

Zubereitungszeit: ca. 20 Minuten
Garzeit: ca. 20 Minuten

Pro Person: 

NUDEL-
FILET-PFANNE

Für 4 Personen:

1 Romanesco
(ersatzweise Blumenkohl)
Salz
300 g Schweinefilet
2 TL Pflanzenöl
Pfeffer
4 Karotten
1 Bund Frühlingszwiebeln
200 g Champignons
(Konserve oder frisch)
100 g Erbsen (TK)
480 g gegarte Nudeln
(z. B. Penne)
45 g Parmesan, am Stück
(32 % Fett i.Tr.)

1. Romanesco in Röschen teilen und in kochendem Salzwasser kurz blanchieren. Schweinefilet in schmale Streifen schneiden, in erhitztem Pflanzenöl in einer tiefen Pfanne braten, salzen, pfeffern, herausnehmen und warm stellen. Karotten und Frühlingszwiebeln in feine Streifen schneiden und in verbliebenem Bratfond ca. 5 Minuten dünsten.

2. Pilze und Romanesco gut abtropfen lassen, Pilze klein schneiden, beides mit den Erbsen zugeben und weitere ca. 5 Minuten garen. Zum Schluss Filet und Nudeln unterheben, mit erwärmen und alles pikant mit Salz und Pfeffer abschmecken. Parmesan grob hobeln und Nudel-Filet-Pfanne damit bestreut servieren.

Zubereitungszeit: ca. 20 Minuten
Garzeit: ca. 15 Minuten

Pro Person: 5 POINTS

SCHWEINESCHNITZEL MIT GEMÜSE

Für 4 Personen:

6 Stangen Bleichsellerie
4 rote Paprikaschoten
4 Schweineschnitzel (600 g)
Salz
Pfeffer
2 EL Mehl
2 TL Pflanzenöl
100 ml trockener Weißwein (ersatzweise Gemüsebrühe)
150 ml Gemüsebrühe (½ TL Instant)
Cayennepfeffer
4 mittelgroße gekochte Kartoffeln

1. Sellerie in Stücke und Paprikaschoten in schmale Streifen schneiden. Schnitzel flach klopfen, salzen, pfeffern und in Mehl wenden. Öl in einer Pfanne erhitzen, die Schnitzel darin von jeder Seite ca. 5 Minuten braten und warm stellen.

2. Sellerie und Paprika in der gleichen Pfanne ca. 4–5 Minuten andünsten, mit Weißwein und Gemüsebrühe ablöschen, Sauce einkochen lassen und mit Cayennepfeffer abschmecken. Schnitzel mit Paprikagemüse und Kartoffeln servieren.

Zubereitungszeit: ca. 10 Minuten
Garzeit: ca. 15 Minuten

Pro Person: 5 POINTS

GRATINIERTES BANANENFILET

Für 2 Personen:

1 Stück Schweinefilet, mager (250 g)
Salz
Pfeffer
1 Zwiebel
60 ml fettarme Milch
150 ml Gemüsebrühe (1 TL Instant)
2 EL heller Saucenbinder (Instantpulver)
½ TL Currypulver
2 kleine Bananen
4 EL geriebener Käse (32% Fett i. Tr.)
2 TL Mandelblätter
150 g Magermilch-Joghurt
2 TL Mayonnaise (20% Fett)
2 TL Zitronensaft
1 kleiner Kopfsalat
4 EL gegarte Wildreismischung

1. Schweinefilet in Scheiben schneiden und in einer beschichteten Pfanne fettfrei von jeder Seite ca. 2 Minuten braten. Fleisch salzen und pfeffern und in eine flache Auflaufform legen.

2. Zwiebel fein würfeln und fettfrei anschwitzen, Milch und Gemüsebrühe angießen und mit Saucenbinder andicken. Sauce aufkochen lassen und mit Currypulver, Salz und Pfeffer abschmecken.

3. Bananen jeweils quer und längs halbieren, auf das Fleisch legen und mit Sauce übergießen. Bananenfilet mit Käse und Mandeln bestreuen und im vorgeheizten Backofen bei 200 Grad (Gas: Stufe 3) ca. 15 Minuten gratinieren.

4. Joghurt, Mayonnaise und Zitronensaft verrühren und mit Salz und Pfeffer abschmecken. Salat in mundgerechte Stücke zupfen und mit Dressing vermengen. Bananenfilet mit Reis und Salat servieren.

Zubereitungszeit: ca. 15 Minuten
Garzeit: ca. 30 Minuten

GEFÜLLTE ANANAS »KARIBIK«

1. Ananas längs halbieren, aushöhlen und das Fruchtfleisch in kleine Stücke schneiden. Schweinefleisch in Streifen, Lauchzwiebel in fingerbreite Ringe, Bleichsellerie und Champignons in Scheiben schneiden.

2. Schweinefleisch in erhitztem Öl von allen Seiten ca. 5 Minuten kräftig anbraten. Vorbereitetes Gemüse und Scampi zugeben und weitere ca. 5 Minuten mitbraten. Reis und Ananasstücke zugeben und alles mit Salz und Pfeffer abschmecken. Die Masse in die ausgehöhlten Ananas füllen und servieren.

Zubereitungszeit: ca. 10 Minuten
Garzeit: ca. 10 Minuten

Für 2 Personen:

1 Ananas
100 g Schweinefleisch, mager
1 Lauchzwiebel
1 Stange Bleichsellerie
50 g Champignons
2 TL Pflanzenöl
120 g Scampi
280 g gegarter Reis
Salz
weißer Pfeffer

Pro Person: 6,5 POINTS

SCHWEINEFLEISCH SÜSS-SAUER

Für 4 Personen:

450 g Schweinefleisch, mager
1 EL Zitronensaft
2 TL Stärkemehl
2 EL Sojasauce
1 Knoblauchzehe
1 kleines Stück Ingwer (ca. 3 cm)
1 Gemüsezwiebel
2 Stangen Lauch
2 rote Paprikaschoten
4 TL Erdnussöl (ersatzweise Pflanzenöl)
Salz
Pfeffer
100 g Ananas (Konserve ohne Zucker)
200 ml Ananassaft (Konserve ohne Zucker)
3 EL Obstessig
1 EL Tomatenmark
50 ml Gemüsebrühe (½ TL Instant)
einige Tropfen flüssiger Süßstoff
320 g gegarter Duftreis (ersatzweise Basmati-Reis)

1. Schweinefleisch in schmale Streifen schneiden. Zitronensaft mit 1 Teelöffel Stärke und Sojasauce verrühren. Schweinefleisch darin ca. 30 Minuten marinieren.

2. Knoblauchzehe und Ingwer fein hacken. Zwiebel und Lauch in Stücke und Paprikaschoten in Streifen schneiden. Öl in einem Wok erhitzen, Fleisch, Knoblauch und Ingwer zufügen, salzen, pfeffern und unter Rühren rundherum anbraten. Gemüse zufügen und ca. 5 Minuten bissfest andünsten.

3. Ananas abtropfen lassen, Saft auffangen, in Stücke schneiden und unterheben. Restliche Stärke mit Ananassaft, Essig, Tomatenmark und Brühe verrühren, angießen, aufkochen lassen, mit Süßstoff abschmecken und mit Reis servieren.

Zubereitungszeit: ca. 10 Minuten
Marinierzeit: ca. 30 Minuten
Garzeit: ca. 15 Minuten

GYROS MIT FLADENBROT

1. Schweinefilet in schmale Streifen schneiden. Öl in einer beschichteten Pfanne erhitzen und Fleischstreifen darin von allen Seiten ca. 10 Minuten braten. Mit Pfeffer, Knoblauchsalz und Gyrosgewürz pikant würzen. Knoblauchzehe zerdrücken und mit Joghurt und Pfefferminze verrühren. Knoblauchsauce mit Salz abschmecken.

2. Kopfsalat in mundgerechte Stücke zupfen, Tomaten achteln, Gurke würfeln und Zwiebeln in Ringe scheiden. Fladenbrot aufschneiden, mit der Joghurtsauce bestreichen und das Gemüse einfüllen. Mit Gyros und restlicher Joghurtsauce servieren.

Zubereitungszeit: ca. 10 Minuten
Garzeit: ca. 10 Minuten

Für 4 Personen:

600 g Schweinefilet
2 TL Pflanzenöl
Pfeffer
Knoblauchsalz
2 TL Gyrosgewürz
1 Knoblauchzehe
250 g fettarmer Joghurt
1 TL getrocknete Pfefferminze
Salz
1 Kopfsalat
8 Tomaten
1 Salatgurke
2 Zwiebeln
4 Ecken Fladenbrot (à 75 g)

Pro Person: 7 POINTS

SCHNITZEL »LANDHAUS-ART«

Für 1 Person:

1 TL Pflanzenöl
1 Schweineschnitzel (150 g)
Salz
Pfeffer
2 Karotten
1 Fenchel
1 Zucchini
100 ml Gemüsebrühe (½ TL Instant)
1 Msp. geriebene Muskatnuss
4 EL Kartoffelpüree/-stock, verzehrfertig

1. Beschichtete Pfanne mit Öl einstreichen, Schnitzel von beiden Seiten braten und mit Salz und Pfeffer würzen.

2. Karotten, Fenchel und Zucchini in kleine Würfel schneiden. Gemüsebrühe mit Salz, Pfeffer und Muskatnuss aufkochen und das Gemüse darin bissfest garen. Schnitzel mit dem Gemüse und Kartoffelpüree anrichten.

Zubereitungszeit: ca. 5 Minuten
Garzeit: ca. 10 Minuten

Pro Person: 5 POINTS

SCHNITZEL MIT KARTOFFELSALAT

1. Fix für Salatsauce mit 4 Esslöffeln Wasser und Senf anrühren und je nach Geschmack mit Salz, Pfeffer und Süßstoff abschmecken. Kartoffeln in Scheiben, Lauchzwiebeln in Ringe schneiden, Gurke längs vierteln und in Stücke schneiden. Alle Zutaten mit dem Dressing vermengen und ca. 20 Minuten ziehen lassen.

2. Schweineschnitzel mit Salz und Pfeffer würzen. Öl in einer Pfanne erhitzen, das Fleisch darin von beiden Seiten ca. 8 Minuten braten und zu dem Kartoffelsalat servieren.

Zubereitungszeit: ca. 10 Minuten
Marinierzeit: ca. 20 Minuten
Garzeit: ca. 20 Minuten

Für 1 Person:

½ Päckchen Fix für Salatsauce
1 TL Senf
Salz
Pfeffer
einige Tropfen flüssiger Süßstoff
3 mittelgroße gekochte Kartoffeln
2 Lauchzwiebeln
½ Salatgurke
1 kleines Schweineschnitzel (150 g)
1 TL Pflanzenöl

Pro Person: 6 POINTS

BALKANPFANNE MIT LAMM

Für 4 Personen:

500 g Lammfilet
4 TL Pflanzenöl
2 Knoblauchzehen
300 g Zwiebeln
160 g Reis, trocken
300 ml Gemüsebrühe
(1 ½ TL Instant)
1 TL Paprikapulver
Salz
Pfeffer
1 Aubergine
2 Zucchini
je 1 gelbe, rote und grüne Paprikaschote
6 Tomaten
2 EL gehackte Petersilie

1. Lammfilet in Würfel schneiden. Öl in einer Pfanne erhitzen und die Fleischwürfel darin von allen Seiten einige Minuten anbraten. Knoblauchzehen zerdrücken und Zwiebeln würfeln, beides zugeben und mit anbraten. Reis, Brühe und Paprikapulver zufügen und mit Salz und Pfeffer würzen. Bei milder Hitze ca. 25 Minuten schmoren lassen.

2. Aubergine, Zucchini, Paprikaschoten und Tomaten in Würfel schneiden. Gemüse zum Fleisch geben und weitere ca. 20 Minuten garen. Balkanpfanne mit Salz und Pfeffer abschmecken und mit Petersilie bestreut servieren.

Zubereitungszeit: ca. 15 Minuten
Garzeit: ca. 50 Minuten

Pro Person: 

TEXANISCHE BOHNENPFANNE MIT HACKSTEAK

Für 4 Personen:

90 g Käse (30 % Fett i. Tr.)
4 Zwiebeln
240 g Tatar
400 g Mais (Konserve)
Salz
Pfeffer
½ TL Majoran
1 EL Senf
2 EL Ketchup
400 g Baked Beans (Konserve)
einige Tropfen flüssiger Süßstoff
2 Baguettebrötchen

1. Käse und 2 Zwiebeln würfeln, mit Tatar und Mais vermengen. Masse mit Salz, Pfeffer, Majoran, Senf und Ketchup würzen und 4 flache Hacksteaks formen. Brat-Folie in einer Pfanne erhitzen und Hacksteaks darauf von jeder Seite ca. 5 Minuten braten.

2. Restliche Zwiebeln in Ringe schneiden und in einer beschichteten Pfanne fettfrei glasig dünsten. Baked Beans hinzufügen, erhitzen und mit Salz, Pfeffer und Süßstoff abschmecken. Hacksteaks mit Baked Beans und Brötchen servieren.

Zubereitungszeit: ca. 15 Minuten
Garzeit: ca. 15 Minuten

SÜSSSPEISEN, DESSERTS, GEBÄCK

APFEL-PFANNKUCHEN MIT ZIMT

Für 4 Personen:

160 g Mehl
1 Prise Salz
2 EL Zucker
500 ml fettarme Milch
4 Eier
2 rote Äpfel (z. B. Red Delicious)
4 TL Pflanzenöl
1 TL Apfel Zimt-Zucker (z. B. Fuchs)

1. Mehl, Salz und Zucker in eine Schüssel geben. Mit Milch verrühren und ca. 15 Minuten quellen lassen. Eier unterrühren. Äpfel gründlich waschen und in Spalten schneiden.

2. Öl in einer Pfanne erhitzen, jeweils ¼ des Teiges in die Pfanne geben, mit Apfelspalten belegen und ca. 4 Minuten goldgelb backen. Mit Hilfe eines großen Tellers wenden und von der anderen Seite fertig backen. Apfel-Pfannkuchen mit Apfel Zimt-Zucker bestreut servieren.

Zubereitungszeit: ca. 15 Minuten
Quellzeit: ca. 15 Minuten
Backzeit: ca. 25 Minuten

Pro Stück: 6,5 POINTS

CRÊPES MIT VANILLEBEEREN

Für 4 Personen:

3 Eier
240 g Mehl
1 Prise Salz
375 ml fettarme Milch
4 EL Wasser
2 EL Vanillepuddingpulver
2 EL Vanillezucker
500 g gemischte Beeren (TK)
einige Tropfen flüssiger Süßstoff

1. Eier, Mehl, Salz, 250 ml Milch und Wasser zu einem glatten Teig verrühren und ca. 15 Minuten quellen lassen. Brat-Folie in einer Pfanne erhitzen und nacheinander 4 dünne Crêpes backen.

2. Puddingpulver mit restlicher Milch und Vanillezucker verrühren und aufkochen lassen. Beeren zufügen und kurz erhitzen, bis die Beeren aufgetaut sind. Mit Süßstoff abschmecken. Crêpes mit Vanillebeeren servieren.

Zubereitungszeit: ca. 20 Minuten
Quellzeit: ca. 15 Minuten
Backzeit: ca. 15 Minuten

Pro Person: 6 POINTS

KANDIERTE KIRSCHEN AUF VANILLECREME

Für 4 Personen:

FÜR DIE KANDIERTEN KIRSCHEN:
400 g Kirschen (Konserve ohne Zucker)
1 kleines Glas Rum (20 ml)
5 EL Zucker

FÜR DIE VANILLECREME:
225 g Magerquark
250 g fettarmer Joghurt
60 ml fettarme Milch
1 EL Vanillezucker
1 Vanilleschote

1. Kirschen abtropfen lassen, mit Rum beträufeln und ca. 10 Minuten ziehen lassen. Zucker in einer Pfanne schmelzen lassen. Kirschen hineingeben und unter Rühren kandieren.

2. Quark mit Joghurt, Milch und Vanillezucker verrühren. Vanilleschote längs aufschlitzen, Mark mit einem Messer herauskratzen und unterrühren. Kandierte Kirschen mit Vanillecreme servieren.

Zubereitungszeit: ca. 20 Minuten
Marinierzeit: ca. 10 Minuten
Garzeit: ca. 10 Minuten

Pro Person: 3,5 POINTS

GRIESS-SCHNITTEN MIT GEEISTER FRUCHTSAUCE

Für 4 Personen:

8 Aprikosen (Konserve ohne Zucker)
2 TL Halbfettmargarine
150 g Grieß
200 ml Aprikosensaft, ohne Zucker (Konserve)
7 Pistazien
einige Tropfen flüssiger Süßstoff
2 EL Zitronensaft
250 g Magermilch-Joghurt

1. Aprikosen abtropfen lassen, dabei Saft auffangen. Margarine in einem Topf erhitzen, Grieß zufügen und darin anschwitzen. Mit 200 ml Aprikosensaft und 500 ml Wasser ablöschen und zugedeckt ca. 15 Minuten quellen lassen.

2. Pistazien grob hacken, unter den Grieß rühren und mit Süßstoff abschmecken. Grieß ca. 1 cm dick auf eine Platte oder ein Backblech streichen, erkalten lassen und in Stücke schneiden.

3. Aprikosen würfeln und mit Zitronensaft pürieren. Joghurt unterrühren, in eine flache Form füllen und ca. 20 Minuten einfrieren. Fruchtsauce nochmals mit dem Pürierstab durcharbeiten und zu den Grießschnitten servieren.

Zubereitungszeit: ca. 20 Minuten
Garzeit: ca. 15 Minuten
Kühlzeit: ca. 20 Minuten

Pro Person:

HIRSESCHMARREN MIT BEERENSAUCE

Für 4 Personen:

FÜR DEN HIRSESCHMARREN:
160 g Hirse
600 ml Wasser
3 Eier
1 Prise Salz
2 EL Mehl
3 EL Puderzucker
3 TL gehackte Walnüsse

FÜR DIE BEERENSAUCE:
600 g gemischte Beeren (TK)
2 TL Stärkemehl
2 EL Wasser
einige Tropfen flüssiger Süßstoff
Zimt
2 EL saure Sahne
einige Minzblätter

1. Hirse in Wasser nach Packungsanweisung ca. 25 Minuten garen. Eier trennen. Eigelb, Salz, Mehl, 2 Esslöffel Puderzucker und Walnüsse unter die Hirse ziehen. Masse kurz abkühlen lassen.

2. Für die Beerensauce Beeren auftauen lassen, in einen Topf geben und vorsichtig erhitzen. Stärkemehl mit Wasser anrühren, Beerensauce damit andicken und mit Süßstoff abschmecken.

3. Eiweiß steif schlagen und unter die Hirsemasse ziehen. Hirsemasse portionsweise in einer beschichteten Pfanne backen, wenden, mit einer Gabel zerkleinern und goldbraun backen.

4. Hirseschmarren und Beerensauce auf Tellern anrichten. Hirseschmarren mit restlichem Puderzucker und Zimt bestreuen. Saure Sahne cremig rühren, tropfenweise in die Beerensauce geben, mit einem Zahnstocher verzieren und mit Minze garniert servieren.

Zubereitungszeit: ca. 20 Minuten
Garzeit: ca. 25 Minuten
Backzeit: ca. 15 Minuten

Pro Person: 5,5 POINTS

ORANGEN-SCHOKO-PLÄTZCHEN

Für 50 Stück:

90 g Puderzucker
1 Prise Salz
160 g Halbfettmargarine
1 Ei
100 ml Orangensaft, ohne Zucker
abgeriebene Schale einer unbehandelten Orange
140 g Weizenvollkornmehl
160 g Mehl
2 TL gemahlene Mandeln
½ Packung Schokoladenstreusel (100 g)

1. Puderzucker, Salz und Margarine cremig rühren. Ei, Orangensaft und Orangenschale mit Vollkornmehl, Mehl, Mandeln und Schokoladenstreuseln unterkneten und Teig in Klarsichtfolie gewickelt ca. 1 Stunde kühl stellen.

2. Teig dünn ausrollen, Plätzchen ausstechen, auf ein mit Back-Folie belegtes Backblech legen und im vorgeheizten Backofen bei 175 Grad (Gas: Stufe 2) ca. 15 Minuten backen.

Zubereitungszeit: ca. 20 Minuten
Ruhezeit: ca. 1 Stunde
Backzeit: ca. 15 Minuten

Pro Stück: 1 POINT

DAMPFNUDELN MIT APFELFÜLLUNG

Für 9 Stück:

340 g Mehl
1 Würfel Hefe
250 ml warme fettarme Milch
2 EL Zucker
1 Prise Salz
2 Äpfel
1 TL Zitronensaft
½ TL Zimt
400 ml Apfelsaft, ohne Zucker
2 TL Halbfettmargarine
2 EL Vanille-Pudding-Pulver
250 ml fettarme Milch
einige Tropfen flüssiger Süßstoff

1. Mehl in eine Schüssel geben, in die Mitte eine Mulde schieben, Hefe hineinbröckeln und mit Milch, Zucker und Salz zu einem Vorteig anrühren. Vorteig zugedeckt ca. 15 Minuten gehen lassen. Den Teig glatt verkneten und weitere 30 Minuten gehen lassen.

2. Äpfel würfeln, mit Zitronensaft und Zimt vermengen. Teig in 9 Portionen teilen, zu Kugeln formen und jeweils etwas Apfelfüllung hineingeben. Dampfnudeln in eine hohe Auflaufform setzen, Apfelsaft angießen und mit zerlassener Margarine bestreichen. Dampfnudeln im vorgeheizten Backofen bei 175 Grad (Gas: Stufe 2) ca. 35 Minuten backen.

3. Puddingpulver mit etwas Milch anrühren. Restliche Milch erhitzen, angerührtes Puddingpulver einrühren und aufkochen lassen. Vanillesauce mit Süßstoff abschmecken und zu den Dampfnudeln servieren.

Zubereitungszeit: ca. 30 Minuten
Ruhezeit: ca. 45 Minuten
Garzeit: ca. 40 Minuten

Pro Stück: 3 POINTS

MANDEL-ORANGEN-HÄUFCHEN

Für 60 Stück:

125 g fettarme Milch
90 g gemahlene Mandeln
90 g gehackte Mandeln
140 g zarte Haferflocken
150 g Honig
Salz
1 TL Zimt
20 ml Orangenlikör
30 Stück geschälte ganze Mandeln
60 Backoblaten (5 cm Ø)

1. Milch, Mandeln, Haferflocken, Honig und 1 Prise Salz verrühren, in einen Topf geben und ca. 8–10 Minuten hellbraun karamellisieren lassen. Zimt und Orangenlikör unterrühren.

2. Masse 30 Minuten kühl stellen und Mandeln halbieren. Mit 2 Teelöffeln kleine Haufen auf Backoblaten geben und mit je einer halben Mandel verzieren. Backoblaten auf ein Backblech setzen und im vorgeheizten Backofen auf der mittleren Schiene bei 180 Grad (Gas: Stufe 2, Umluft: 160 Grad) ca. 15 Minuten backen.

Zubereitungszeit: ca. 25 Minuten
Kühlzeit: ca. 30 Minuten
Backzeit: ca. 15 Minuten

Pro Stück: 1 POINT

KIRSCH-MOHN-KUCHEN

Für 12 Stücke:

- 140 g Halbfettmargarine
- 60 g Zucker
- Mark von 1 Vanilleschote
- 2 Eier
- 280 g Mehl
- 1 EL Backpulver
- 125 g Mohnback
- 1400 g Sauerkirschen (ersatzweise Konserve ohne Zucker)
- 2 EL Puderzucker

1. Margarine mit Zucker und Vanillemark cremig rühren. Eier einzeln unterrühren. Mehl und Backpulver mischen, sieben und unterheben. Zuletzt Mohnback unter den Teig mengen.

2. Teig auf ein mit Back-Folie ausgelegtes Backblech streichen. Kirschen entkernen, Teig damit belegen und im vorgeheizten Backofen auf der mittleren Schiene bei 180 Grad (Gas: Stufe 1, Umluft: 160 Grad) ca. 45 Minuten backen. Den fertigen Kirsch-Mohn-Kuchen mit etwas Puderzucker bestäubt servieren.

Zubereitungszeit: ca. 25 Minuten
Backzeit: ca. 45 Minuten

HÖRNCHEN MIT NUSSFÜLLUNG

Für 12 Stück:

FÜR DIE FÜLLUNG:
1 Packung TK-Hefeteig à 450 g (z.B. von Koopmans)
5 TL Sonnenblumenkerne
100 g geriebene Haselnüsse
45 g Zucker
Mark von 1 Vanilleschote
3 EL fettarme Milch

FÜR DEN GUSS:
45 g Puderzucker
2 EL Zitronensaft

Pro Stück: 4,5 POINTS

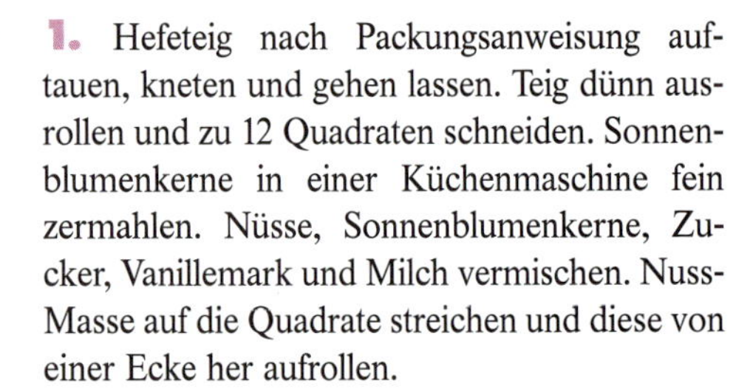

1. Hefeteig nach Packungsanweisung auftauen, kneten und gehen lassen. Teig dünn ausrollen und zu 12 Quadraten schneiden. Sonnenblumenkerne in einer Küchenmaschine fein zermahlen. Nüsse, Sonnenblumenkerne, Zucker, Vanillemark und Milch vermischen. Nuss-Masse auf die Quadrate streichen und diese von einer Ecke her aufrollen.

2. Hörnchen auf ein mit Back-Folie ausgelegtes Backblech legen und im vorgeheizten Backofen auf der mittleren Schiene bei 180 Grad (Gas: Stufe 2, Umluft: 160 Grad) ca. 20 Minuten backen. Hörnchen auskühlen lassen. Puderzucker mit Zitronensaft glatt rühren und Hörnchen damit verzieren.

Zubereitungszeit: ca. 25 Minuten
Backzeit: ca. 20 Minuten

Sonnenblumenkerne sind die Kerne der Sonnenblume aus der Familie der Korbblütler. Die Blume stammt aus Amerika, vermutlich aus Mexiko oder Peru. Sonnenblumenkerne wurden bereits vor mehr als 5000 Jahren von den Indianern genutzt. 1569 wurde die Sonnenblume nach Spanien gebracht und war schon um 1600 in ganz Europa bekannt. Die kegelförmigen Kerne haben einen milden, nussartigen Geschmack. Typisch für die Sonnenblumenkerne ist die weiße, schwarze oder weißschwarz gestreifte Färbung und das leichte Gewicht. Sie sind eine klassische Ölsaat, die vor allem zur Erzeugung von hochwertigem Speiseöl dient. Sonnenblumenkerne spielen in der Vollwerternährung als leckere Zutat in Müsli und Backwaren eine besondere Rolle. In Russland und Polen sind Sonnenblumenkerne als Knabberware sehr beliebt. Sie werden im Handel mit und ohne Schale, geröstet, gesalzen oder ungesalzen angeboten.

FRUCHTIGE NUSSECKEN

Für 24 Stücke:

FÜR DEN TEIG:
360 g Mehl
50 g gemahlene Haselnüsse
1 TL Backpulver
120 g Zucker
Mark von 1 Vanilleschote
2 Eier
140 g Halbfettmargarine

FÜR DEN BELAG:
4 EL Aprikosenmarmelade
120 g gehackte Mandeln
100 g gehackte Haselnüsse
200 g getrocknete Aprikosen
80 g Honig
100 g Halbfettmargarine

1. 340 g Mehl, Haselnüsse, Backpulver, Zucker, die Hälfte des Vanillemarks, Eier und Margarine zu einem Mürbeteig verkneten, 30 Minuten kalt stellen, mit restlichem Mehl ausrollen und auf ein mit Back-Folie ausgelegtes Backblech geben. Teig mit Aprikosenmarmelade bestreichen.

2. Mandeln und Haselnüsse in einer beschichten Pfanne fettfrei goldgelb rösten. Aprikosen in feine Würfel schneiden. Restliches Vanillemark, Honig, Aprikosen, Nüsse und Margarine verrühren. Nuss-Masse auf den Mürbeteig geben, im vorgeheizten Backofen auf der mittleren Schiene bei 160 Grad (Gas: Stufe 1, Umluft: 140 Grad) ca. 25 Minuten abbacken, auskühlen lassen und in Dreiecke schneiden.

Zubereitungszeit: ca. 25 Minuten
Kühlzeit: ca. 30 Minuten
Backzeit: ca. 25 Minuten

Pro Stück: 5 POINTS

HASELNUSS-STANGEN

Für 60 Stück:

FÜR DEN TEIG:
160 g Halbfettmargarine
90 g Zucker
Mark von 2 Vanilleschote
1 Ei
100 g gemahlene Haselnüsse
210 g Mehl
1 gestrichener TL Backpulver
80 g Stärkemehl

FÜR DEN GUSS:
3 EL fettarme Milch
1 Eigelb

1. Margarine, Zucker, Vanillemark und Ei schaumig schlagen, Haselnüsse, Mehl, Backpulver und Stärkemehl mischen, unterheben und alles zu einem geschmeidigen Teig verkneten. Teig ca. 1 Stunde kühl stellen.

2. Teig zu bleistiftdicken Stangen ausrollen, in 60 ca. 4 cm lange Stücke schneiden, Milch und Eigelb verquirlen und Haselnussstangen damit bestreichen. Plätzchen auf ein mit Back-Folie ausgelegtes Backblech legen und im vorgeheizten Backofen auf der mittleren Schiene bei 180 Grad (Gas: Stufe 2, Umluft: 160 Grad) ca. 15 Minuten backen.

Zubereitungszeit: ca. 30 Minuten
Kühlzeit: ca. 1 Stunde
Backzeit: ca. 15 Minuten

BUNTE WALDBEEREN-SCHNITTE

Für 20 Stücke:

FÜR DEN TEIG:
6 Eier
150 g Zucker
180 g Weizenvollkornmehl
1 TL Backpulver

FÜR DEN BELAG:
8 Blatt weiße Gelatine
4 Blatt rote Gelatine
200 ml Johannisbeersaft, ohne Zucker
30 ml Mineralwasser
1 EL Vanillezucker
525 g Magerquark
einige Tropfen flüssiger Süßstoff
1 kg Waldbeeren (TK)

1. Eier trennen. Eigelb mit Zucker und 3 Esslöffeln lauwarmem Wasser dickschaumig schlagen. Mehl mit Backpulver vermischen und darüber sieben. Eiweiß sehr steif schlagen und vorsichtig unterheben.

2. Teig auf ein mit Back-Folie ausgelegtes Backblech streichen und im vorgeheizten Backofen auf der mittleren Schiene bei 220 Grad (Gas: Stufe 3, Umluft: 200 Grad) ca. 10 Minuten backen. Teigplatte sofort auf ein Küchentuch stürzen und Back-Folie vorsichtig abziehen.

3. Teigplatte wieder auf das Backblech legen. Gelatine nach Packungsanweisung einweichen, ausdrücken und auflösen, mit Johannisbeersaft, Mineralwasser und Vanillezucker vermischen, etwas andicken lassen. Quark unterziehen und mit Süßstoff abschmecken. Creme auf die Biskuitplatte streichen und ca. 1 Stunde kalt stellen. Beeren auftauen lassen und auf der Creme verteilen.

Zubereitungszeit: ca. 35 Minuten
Kühlzeit: ca. 1 Stunde
Backzeit: ca. 10 Minuten

Pro Stück: 2 POINTS

ALTDEUTSCHER OBSTKUCHEN

Für 12 Stücke:

FÜR DEN TEIG:
120 g Halbfettmargarine
120 g Zucker
Mark von 1 Vanilleschote
abgeriebene Schale von 1 unbehandelten Orange
4 Eier
190 g Mehl
200 g Stärkemehl
2 TL Backpulver
3 EL fettarme Milch

FÜR DEN BELAG:
500 g Pflaumen (ersatzweise Konserve ohne Zucker)
500 g Äpfel (z.B. Boskop)
½ TL Zimt
1 EL Zucker

1. Margarine, Zucker, Vanillemark und Orangenschale schaumig rühren. Eier einzeln zugeben und verrühren. Mehl, Stärkemehl und Backpulver mischen, sieben, nach und nach unterziehen. Milch hinzufügen, bis der Teig schwer reißend vom Löffel fällt und dann gleichmäßig auf ein mit Back-Folie ausgelegtes Backblech streichen.

2. Pflaumen entsteinen und halbieren, Äpfel entkernen, in Spalten schneiden und mit beidem den Teig belegen. Zimt und Zucker mischen und darüber streuen. Obstkuchen im vorgeheizten Backofen auf der mittleren Schiene bei 180 Grad (Gas: Stufe 2, Umluft: 160 Grad) ca. 35 Minuten backen.

Zubereitungszeit: ca. 30 Minuten
Backzeit: ca. 35 Minuten

Pro Stück: 

MAKRONEN

Für 35 Stück:

85 g Kokosnussraspeln
2 Eiweiß
145 g Zucker
1 TL Zimt
einige Tropfen Mandelbacköl
40 g gemahlene Haselnüsse
35 Backoblaten

1. Kokosnussraspeln auf ein mit Back-Folie belegtes Backblech verteilen, im Backofen bei 150 Grad (Gas: Stufe 1) ca. 5 Minuten leicht anrösten und erkalten lassen.

2. Eiweiß steif schlagen. Zucker einrieseln lassen und so lange schlagen, bis sich der Zucker gelöst hat. Zimt und Backöl unterschlagen, Kokosnussraspeln und Haselnüsse vorsichtig unter den Eischnee ziehen.

3. Mit Hilfe von 2 Teelöffeln kleine Makronen auf die Backoblaten geben, auf ein mit Back-Folie ausgelegtes Backblech setzen und im vorgeheizten Backofen bei 175 Grad (Gas: Stufe 2) ca. 20 Minuten backen.

Zubereitungszeit: ca. 20 Minuten
Backzeit: ca. 25 Minuten

Frische für Qualität
Makronen sind typische Eiweißgebäcke. Damit sie bestens gelingen, müssen die Eier ganz frisch sein. Beim Aufschlagen ist frisches Eiweiß ganz klar und hat eine gelartige Konsistenz.

Ein einfacher Trick:
Ei in ein großes Glas mit Wasser tauchen. Nur, wenn das Ei ganz bis auf den Boden sinkt und nicht schwebt oder gar an die Oberfläche kommt, ist es superfrisch.

GLÜHWEIN-GEWÜRZKUCHEN

Für 20 Stücke:

100 ml Früchtetee
1 TL Glühweingewürz
160 g Halbfettmargarine
165 g Zucker
einige Tropfen flüssiger Süßstoff
1 TL Vanillezucker
4 Eier
150 g Weizenvollkornmehl
140 g Mehl
2 TL Backpulver
100 g Schokoladenstreusel
2 EL Puderzucker

1. Früchtetee mit Glühweingewürz aufkochen und erkalten lassen. Margarine mit Zucker, Süßstoff und Vanillezucker schaumig rühren und nach und nach die Eier unterrühren. Vollkornmehl, Mehl und Backpulver mischen und mit den Schokoladenstreuseln unter den Teig rühren. Vom Glühweintee 2 Esslöffel für die Dekoration abnehmen und den Rest unter den Teig mischen.

2. Eine Kastenform (Länge 26 cm) mit Back-Folie auslegen, Teig einfüllen und im vorgeheizten Backofen bei 200 Grad (Gas: Stufe 3) ca. 60 Minuten backen, in der Form abkühlen lassen und stürzen. Restlichen Glühweintee mit Puderzucker vermischen, in einen kleinen Gefrierbeutel füllen, eine Ecke abschneiden und den Kuchen damit verzieren.

Zubereitungszeit: ca. 20 Minuten
Backzeit: ca. 60 Minuten

Pro Stück: 3 POINTS

ZITRONEN-KEKSE

Für 40 Stück:

FÜR DEN TEIG:
140 g Stärkemehl
140 g Mehl
90 g Zucker
1 Ei
100 g Halbfettmargarine
1 TL Zitronensaft
½ TL Zitronen-Aroma

FÜR DEN GUSS:
120 g Puderzucker
3 EL Zitronensaft

1. Stärkemehl, Mehl und Zucker in eine Schüssel geben. In die Mitte eine Vertiefung schieben und das Ei hineingeben. Margarine in Flöckchen, Zitronensaft und Zitronen-Aroma hinzufügen, verkneten und ca. 30 Minuten kalt stellen.

2. Teig dünn ausrollen, nach Belieben Formen ausstechen. Plätzchen auf ein mit Back-Folie ausgelegtes Backblech setzen und im vorgeheizten Backofen auf der mittleren Schiene bei 180 Grad (Gas: Stufe 2, Umluft: 160 Grad) ca. 15 Minuten backen. Zitronenkekse auskühlen lassen. Puderzucker mit Zitronensaft glatt rühren und fertige Plätzchen damit verzieren.

Zubereitungszeit: ca. 25 Minuten
Kühlzeit: ca. 30 Minuten
Backzeit: ca. 15 Minuten

Pro Stück: 1 POINT

REZEPT-REGISTER

REZEPTREGISTER

A

Altdeutscher Obstkuchen 270
Apfel-Pfannkuchen mit Zimt 252
Asiatische Hähnchen-Pfanne mit Kokos 232
Auberginengemüse 119

B

Balkanpfanne mit Lamm 248
Bauernpfanne, Herzhafte 70
Bauernsalat »Kreta« 46
Blechkuchen, Ungarischer 180
Blumenkohl-Broccoli-Gemüse mit Senfsauce (Tipp) 98
Bohnensalat mit feurigem Dressing 39
Bratling mit Schafkäsecreme, Pikanter 64
Broccoli-Pfanne mit Schweinefleisch 239
Brot mit Schafkäsefüllung 54
Brotsalat, Italienischer 49
Bruschetta mit Bohnen 55
Bulgur 138
Bunte Gemüsesuppe 35
Bunte Kartoffel-Gemüse-Pizza 190
Bunte Nudelsuppe 34
Bunte Röschen mit Zitronensauce 127
Bunte Schafkäsecreme 60
Bunte Waldbeerenschnitte 268
Bunter Hühnertopf 38
Bunter Maissalat 44
Buntes Gemüse mit Farfalle 161
Burger mit Paprika-Käse-Füllung, Kerniger 135

C

Camembert auf Salat, Gebackener 67
Champignon-Geflügel-Auflauf 188
Champignon-Lauch-Kuchen, Würziger 173
Champignons, Gegrillte 143
Chichorée im Kasslermantel 140
Chili-Topf, Mexikanischer 27
Chinesische Gemüsepfanne mit Huhn 165
Ciabatta »Bistro« 66
Cremige Karottensuppe mit Ingwer 22
Cremige Petersiliensuppe 33

Crêpes mit Vanillebeeren 254
Curry mit Huhn, Scharfes 224

D

Dampfnudeln mit
Apfelfüllung 260
Deftiger Zwiebelkuchen 174
Dorsch-Paprika-Pfanne 205

E

Erfrischender
Frühlingsquark 68
Exotische Thaipfanne 122

F

Falafel mit Gemüse 132
Family-Salat 50
Farfalle mit Rucola-Tomaten-
Sauce 110
Feine Reis-Cashew-Pfanne 113
Feldsalat mit Scampi 42
Feurige Reispfanne 114
Fischeintopf Lagos 202
Fischfilet auf
Gemüsejulienne 204
Fischfilet mit
Paprikagemüse 198
Fladenbrot, Gefülltes 63
Friesischer Kartoffelschmaus 84
Frische Gemüsesuppe 20
Fruchtige Nussecken 266
Frühlingsquark,
Erfrischender 68
Frühlingssalat mit Kalbsfilet 48

G

Gebackener Camembert
auf Salat 67
Gebackener Gemüse-
Schafkäse 130
Geflügelsuppe, Indische 28
Gefüllte Ananas »Karibik« 243
Gefüllte Gurken 153
Gefüllte Kartoffelrolle 83
Gefüllte Mini-Paprika 153
Gefüllte Paprika Oriental 150
Gefüllte Tomaten 124, 153
Gefüllte Zwiebeln 156
Gefüllter Kohlrabi 138
Gefülltes Fladenbrot 63
Gefülltes Gemüse 153
Gegrillte Champignons 143
Gegrillte Kartoffelspieße 74
Gemüse Indonesia 134
Gemüse mit Farfalle,
Buntes 161
Gemüse, Gefülltes 153
Gemüse-Antipasti 57
Gemüse-Mix mit Hähnchen 166
Gemüse-Puffer mit
Kräuterdip 118
Gemüse-Reis-Salat 111
Gemüse-Schafkäse,
Gebackener 130
Gemüse-Tofu-Kuchen,
Knuspriger 181

Gemüsepfanne 154
Gemüsepfanne mit Huhn, Chinesische 165
Gemüsesuppe, Bunte 35
Gemüsesuppe, Frische 20
Glühwein-Gewürzkuchen 273
Gnocchi mit Gemüsesauce 85
Gratiniertes Bananenfilet 242
Grießschnitten mit geeister Fruchtsauce 256
Grüne Bohnen mit Seelachs 197
Grüne Spaghetti mit Lachs 98
Grünkerngrütze 96
Gurken, Gefüllte 153
Gyros mit Fladenbrot 245

H

Hähnchenbrust mit Curry-Reis 227
Hähnchenpfanne mit Kokos, Asiatische 232
Hähnchenspieße mit Currysauce, Saftige 230
Hamburger mit Kräuterquark 62
Haselnussstangen 267
Herzhafte Bauernpfanne 70
Herzhafte Kartoffelpfanne 89
Hirseschmarren mit Beerensauce 258
Hörnchen mit Nussfüllung 264
Hühnchen-Spargel-Pfanne 228
Hühnchenbrust mit Mango-Chutney 226
Hühner-Curry, Rotes 223
Hühnertopf, Bunter 38

I

Indische Geflügelsuppe 28
Italienische Minestrone 36
Italienischer Brotsalat 49
Italienischer Kartoffelauflauf 185

J

Joghurt-Gurkensuppe, Pikante 26

K

Kabeljau mit Tomatenreis, Roter 194
Kabeljau-Pfanne 199
Kalbsrouladen Parisienne 236
Kandierte Kirschen auf Vanillecreme 255
Karottensuppe mit Ingwer, Cremige 22
Kartoffel-Broccoli-Auflauf 79
Kartoffel-Crêpes mit Schnittlauchquark 86
Kartoffel-Gemüse-Pizza, Bunte 190
Kartoffel-Paprika-Gulasch 76
Kartoffel-Paprika-Tortilla, Spanische 142

Kartoffel-Tomaten-Suppe 77
Kartoffel-Wirsing-Eintopf 88
Kartoffelauflauf, Italienischer 185
Kartoffelkuchen, Würziger 90
Kartoffeln mit Matjestatar, Neue 78
Kartoffeln mit Pestofüllung 71
Kartoffelpfanne Ratatouille 82
Kartoffelpfanne, Herzhafte 89
Kartoffelrolle, Gefüllte 83
Kartoffelschmaus, Friesischer 84
Kartoffelspieße, Gegrillte 74
Käseschnecken, Pikante 58
Kerniger Burger mit Paprika-Käse-Füllung 135
Kirsch-Mohn-Kuchen 263
Kirschen auf Vanillecreme, Kandierte 255
Klassische Linsensuppe 25
Knackiges Wok-Gemüse 170
Knusprige Pizzamonde 186
Knuspriger Gemüse-Tofu-Kuchen 181
Kohlrabi, Gefüllter 138
Krabben-Spinat-Lasagne 189
Kräuter-Quark-Kuchen 177
Kräuterkartoffeln mit Hüttenkäse-Dip 72

L

Lachsstreifen mit Lauchzwiebeln 203
Lauchwickel, Leichte 128
Leichte Lauchwickel 128
Leichtes Pfannen-Gemüse 126
Linsensuppe, Klassische 25

M

Makronen 272
Mais-Bohnen-Kartoffel-Eintopf 162
Maiscremesuppe 32
Maissalat, Bunter 44
Makkaroni-Kuchen 95
Makkaroni mit Schinkensauce 97
Mandel-Orangen-Häufchen 262
Mangold-Päckchen mit Tofu 136
Mexikanischer Chili-Topf 27
Minestrone, Italienische 36
Mini-Paprika, Gefüllte 153

N

Neue Kartoffeln mit Matjestatar 78
Nudel-Filet-Pfanne 240
Nudel-Lauch-Gratin 94
Nudeln mit Rindfleischsauce 104
Nudelpfanne, Pikante 101
Nudelsuppe, Bunte 34
Nussecken, Fruchtige 266

O

Obstkuchen, Altdeutscher 270
Orangen-Schoko-Plätzchen 259

P

Paprikapfanne mit Schweinfleisch 168
Paprika Oriental, Gefüllte 150
Paprikasuppe, Rote 24
Pasta mit Zucchinisauce 103
Penne Italia 102
Pesto-Kartoffeln mit Tomatensalat 91
Petersilien-Rahmsuppe 21
Petersiliensuppe, Cremige 33
Pfannengemüse, Leichtes 126
Pfannengemüse mit Bandnudeln 148
Pikante Joghurt-Gurkensuppe 26
Pikante Käseschnecken 58
Pikante Nudelpfanne 101
Pikanter Bratling mit Schafkäsecreme 64
Pizzamonde, Knusprige 186
Potage au Roquefort 19
Provenzalische Reispfanne 112
Provenzalischer Lachs-Topf 209
Puten-Curry India 212
Putenfilet mit Preiselbeersauce 217
Puten-Geschnetzeltes 215
Puten-Pfanne in fruchtiger Sauce 211
Putenragout unter der Haube 222
Putenrolle mit Schmortomaten und Kartoffeln 214
Putenschnitzel »Altes Land« 220
Putenschnitzel in Orangen-Ingwer-Sauce 219

R

Ravioli mit Ricotta-Spinat-Füllung 107
Reis-Cashew-Pfanne, Feine 113
Reispfanne, Feurige 114
Röschen mit Zitronensauce, Bunte 127
Rosenkohl-Auflauf 176
Rote Paprikasuppe 24
Roter Kabeljau mit Tomatenreis 194
Rotes Hühner-Curry 223
Roulade mit Rosenkohl und Kartoffeln 235
Rucola-Mandarinen-Salat mit Walnuss 51

S

Saftige Hähnchenspieße mit Currysauce 230
Salat mit Sesamtomaten 52
Salsa-Burger 61
Schafkäse mit Salat »Rhodos«, Überbackener 47

Schafkäse-Putenrollen 218
Scharfes Curry mit Huhn 224
Schaschlik auf Tomaten-Reis-Bett, Würziges 116
Schichtgemüse à la Greek 147
Schinken-Spinat-Pasteten 73
Schlemmerfilet à la Bordelaise 208
Schmorbraten mit Rosmarinsauce 234
Schnitzel »Landhaus-Art« 246
Schnitzel mit Kartoffelsalat 247
Scholle mit Kräuterkruste 192
Schweinefleisch süß-sauer 244
Schweineschnitzel mit Gemüse 241
Seelachs mit grünem Pfeffer 193
Seelachs mit Kohlrabi-Kartoffel-Salat 210
Seezungen-Kräuterroulade 196
Sellerie mit Käsecreme 123
Spaghetti mit Lachs, Grüne 98
Spaghetti mit Soja-Bolognese 100
Spaghetti mit Tomaten-Auberginen-Sauce 108
Spaghetti mit Tomaten-Lachssauce 106
Spanische Kartoffel-Paprika-Tortilla 142
Spargel im Kartoffelhemd mit Kräutersauce 158
Spargel mit Lachs 200
Spargel-Schinken-Gratin 184
Spinat-Champignon-Lasagne 172
Spinat-Gnocchi mit Tomatensauce 80
Spinat-Nudel-Pfanne 160
Spinatsalat mit Knoblauch-Croûtons 43
Spiralnudeln mit Paprika-Tomaten-Sauce 92
Süß-scharfe Putenbrust 216

T

Tagliatelle mit Scampi-Käse-Sauce 206
Tandoori-Hähnchen 231
Texanische Bohnenpfanne mit Hacksteak 250
Thaipfanne, Exotische 122
Tomaten aus dem Grill 152
Tomaten in Kräutersauce 144
Tomaten mit Frischkäse-Füllung 157
Tomaten, Gefüllte 124, 153
Tomaten-Kartoffel-Snacks 56
Tomatensuppe mit Grieß-Gnocchi 29
Tortellini-Salat 40

U

Überbackene Zucchini 149
Überbackener Schafkäse mit Salat »Rhodos« 47
Ungarischer Blechkuchen 180

V

Verstecktes Zucchinigemüse 178

W

Waldbeerenschnitte, Bunte 268
Weißkohlpfanne, Würzige 164
Wiener Kartoffelsuppe mit Pilzen 30
Wok-Gemüse, Knackiges 170
Würzige Weißkohlpfanne 164
Würziger Champignon-Lauch-Kuchen 173
Würziger Kartoffelkuchen 90
Würziges Schaschlik auf Tomaten-Reis-Bett 116

Z

Zitronenkekse 274
Zucchini, Überbackene 149
Zucchini-Cremesuppe mit Croûtons 18
Zucchinigemüse, Verstecktes 178
Zucchini mit Polenta-Füllung 120
Zucchini-Nudel-Puffer mit Tomatenchutney 169
Zucchini-Soufflé 146
Zucchini-Tomaten-Kuchen 182
Zucchinitopf 130
Züricher Geschnetzeltes 238
Zwiebelkuchen, Deftiger 174
Zwiebeln, Gefüllte 156

REZEPTREGISTER NACH POINTS

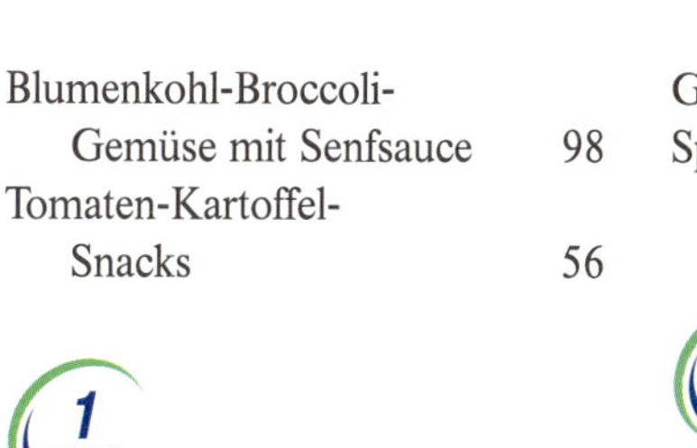

Blumenkohl-Broccoli-Gemüse mit Senfsauce 98
Tomaten-Kartoffel-Snacks 56

Bruschetta mit Bohnen 55
Family-Salat 50
Frische Gemüsesuppe 20
Grünkerngrütze 96
Haselnussstangen 267
Leichtes Pfannen-Gemüse 126
Makronen 272
Mandel-Orangen-Häufchen 262
Tomaten mit Frischkäse-Füllung 157
Zitronenkekse 274

Gefüllte Tomaten 153
Spinatsalat mit Knoblauch-Croûtons 43

Bohnensalat mit feurigem Dressing 39
Brot mit Schafkäsefüllung 54
Bulgur 138
Bunte Gemüsesuppe 35
Bunte Röschen mit Zitronensauce 127
Bunte Waldbeerenschnitte 268
Cremige Karottensuppe mit Ingwer 22
Feldsalat mit Scampi 42
Gefüllte Mini-Paprika 153
Gefüllter Kohlrabi 138
Petersilien-Rahmsuppe 21
Rote Paprikasuppe 24

Salat mit Sesamtomaten 52
Tomaten in Kräutersauce 144
Zucchini-Cremesuppe mit Croûtons 18

2,5 POINTS

Frühlingssalat mit Kalbsfilet 48
Gefüllte Gurken 153
Gemüse-Antipasti 57
Gemüse-Reis-Salat 111
Knackiges Wok-Gemüse 170
Knuspriger Gemüse-Tofu-Kuchen 181
Provenzalische Reispfanne 112
Kartoffel-Broccoli-Auflauf 79
Kartoffeln mit Pestofüllung 71
Kartoffelpfanne Ratatouille 82
Kartoffel-Wirsing-Eintopf 88
Knusprige Pizzamonde 186
Mais-Bohnen-Kartoffel-Eintopf 162
Maiscremesuppe 32
Pikante Joghurt-Gurkensuppe 26
Rucola-Mandarinen-Salat mit Walnuss 51
Spaghetti mit Tomaten-Auberginen-Sauce 108
Süß-scharfe Putenbrust 216
Wiener Kartoffelsuppe mit Pilzen 30

3 POINTS

Bunte Kartoffel-Gemüse-Pizza 190
Bunter Maissalat 44
Dampfnudeln mit Apfelfüllung 260
Erfrischender Frühlingsquark 68
Fischfilet auf Gemüsejulienne 204
Gefüllte Tomaten 124
Glühwein-Gewürzkuchen 273
Gnocchi mit Gemüsesauce 85
Grießschnitten mit geeister Fruchtsauce 256
Italienischer Brotsalat 49

3,5 POINTS

Gemüse Indonesia 134
Makkaroni-Kuchen 95
Spinat-Champignon-Lasagne 172
Würziger Champignon-Lauch-Kuchen 173
Zucchini mit Polenta-Füllung 120

4 POINTS

Auberginengemüse 119
Bunte Nudelsuppe 34

Bunter Hühnertopf 38
Buntes Gemüse mit Farfalle 161
Exotische Thaipfanne 122
Farfalle mit Rucola-Tomaten-Sauce 110
Feurige Reispfanne 114
Fischfilet mit Paprikagemüse 198
Gefüllte Paprika Oriental 150
Gegrillte Champignons 143
Gegrillte Kartoffelspieße 74
Gemüsepfanne 154
Italienische Minestrone 36
Kabeljau-Pfanne 199
Kartoffel-Crêpes mit Schnittlauchquark 86
Kartoffel-Paprika-Gulasch 76
Kartoffel-Tomaten-Suppe 77
Kerniger Burger mit Paprika-Käse-Füllung 135
Kräuterkartoffeln mit Hüttenkäse-Dip 72
Mexikanischer Chili-Topf 27
Paprikapfanne mit Schweinefleisch 168
Pesto-Kartoffeln mit Tomatensalat 91
Potage au Roquefort 19
Seezungen-Kräuterroulade 196
Sellerie mit Käsecreme 123
Spiralnudeln mit Paprika-Tomaten-Sauce 92
Tortellini-Salat 40
Würzige Weißkohlpfanne 164
Zucchini-Tomaten-Kuchen 182

4,5 POINTS

Altdeutscher Obstkuchen 270
Asiatische Hähnchen-Pfanne mit Kokos 232
Bauernsalat »Kreta« 46
Broccoli-Pfanne mit Schweinefleisch 239
Bunte Schafkäsecreme 60
Fischeintopf Lagos 202
Hörnchen mit Nussfüllung 264
Hühnchen-Spargel-Pfanne 228
Kräuter-Quark-Kuchen 177
Lachsstreifen mit Lauchzwiebeln 203
Makkaroni mit Schinkensauce 97
Schichtgemüse à la Greek 147
Scholle mit Kräuterkruste 192
Seelachs mit grünem Pfeffer 193
Spargel-Schinken-Gratin 184
Ungarischer Blechkuchen 180
Verstecktes Zucchinigemüse 178
Zucchinitopf 131

5 POINTS

Chinesische Gemüsepfanne mit Huhn 165
Cremige Petersiliensuppe 33

Deftiger Zwiebelkuchen 174
Dorsch-Paprika-Pfanne 205
Friesischer Kartoffelschmaus 84
Fruchtige Nussecken 266
Gefüllte Kartoffelrolle 83
Gefüllte Zwiebeln 156
Gemüse-Mix mit Hähnchen 166
Gemüse-Puffer mit Kräuterdip 118
Herzhafte Kartoffelpfanne 89
Hähnchenbrust mit Curry-Reis 227
Hühnchenbrust mit Mango-Chutney 226
Indische Geflügelsuppe 28
Kirsch-Mohn-Kuchen 263
Leichte Lauchwickel 128
Nudel-Filet-Pfanne 240
Nudel-Lauch-Gratin 94
Nudeln mit Rindfleischsauce 104
Pasta mit Zucchinisauce 103
Provenzalischer Lachs-Topf 209
Puten-Geschnetzeltes 215
Putenragout unter der Haube 222
Roter Kabeljau mit Tomatenreis 194
Saftige Hähnchenspieße mit Currysauce 230
Salsa-Burger 61
Schlemmerfilet à la Bordelaise 208
Schnitzel »Landhaus-Art« 246
Schweineschnitzel mit Gemüse 241
Seelachs mit Kohlrabi-Kartoffel-Salat 210
Spanische Kartoffel-Paprika-Tortilla 142
Tomatensuppe mit Grieß-Gnocchi 29
Würziges Schaschlik auf Tomaten-Reis-Bett 116

5,5 POINTS

Falafel mit Gemüse 132
Hamburger mit Kräuterquark 62
Hirseschmarren mit Beerensauce 258
Mangold-Päckchen mit Tofu 136
Pfannengemüse mit Bandnudeln 148
Putenfilet mit Preiselbeersauce 217
Rotes Hühner-Curry 223
Schweinefleisch süß-sauer 244
Tagliatelle mit Scmapi-Käse-Sauce 206
Tandoori-Hähnchen 231

6 POINTS

Balkanpfanne mit Lamm 248
Crêpes mit Vanillebeeren 254
Gefülltes Fladenbrot 63
Gefülltes Gemüse 153

Grüne Bohnen mit Seelachs 197
Italienischer Kartoffelauflauf 185
Kalbsrouladen Parisienne 236
Krabben-Spinat-Lasagne 189
Penne Italia 102
Pikante Käseschnecken 58
Pikante Nudelpfanne 101
Puten-Curry India 212
Puten-Pfanne in fruchtiger Sauce 211
Putenrolle mit Schmortomaten und Kartoffeln 214
Rosenkohl-Auflauf 176
Roulade mit Rosenkohl und Kartoffeln 235
Schafkäse-Putenrollen 218
Schinken-Spinat-Pasteten 73
Schmorbraten mit Rosmarinsauce 234
Schnitzel mit Kartoffelsalat 247
Spaghetti mit Soja-Bolognese 100
Spaghetti mit Tomaten-Lachssauce 106
Spargel im Kartoffelhemd mit Kräutersauce 158
Spargel mit Lachs 200
Spinat-Gnocchi mit Tomatensauce 80
Spinat-Nudel-Pfanne 160
Tomaten aus dem Grill 152
Überbackene Zucchini 149
Würziger Kartoffelkuchen 90
Zucchini-Soufflé 146
Züricher Geschnetzeltes 238

6,5 POINTS

Apfel-Pfannkuchen mit Zimt 252
Gefüllte Ananas »Karibik« 243
Herzhafte Bauernpfanne 70
Überbackener Schafkäse mit Salat »Rhodos« 47

7 POINTS

Ciabatta »Bistro« 66
Gebackener Gemüse-Schafkäse 130
Grüne Spaghetti mit Lachs 98
Gyros mit Fladenbrot 245
Paprika-Huhn mit Farfalle 96
Putenschnitzel »Altes Land« 220
Putenschnitzel in Orangen-Ingwer-Sauce 219
Texanische Bohnenpfanne mit Hacksteak 250

7,5 POINTS

Feine Reis-Cashew-Pfanne 113
Scharfes Curry mit Huhn 224

Champignon-Geflügel-
Auflauf 188
Gebackener Camembert
auf Salat 67
Gratiniertes Bananenfilet 242
Neue Kartoffeln mit
Matjestatar 78
Ravioli mit Ricotta-Spinat-
Füllung 107
Zucchini-Nudel-Puffer mit
Tomatenchutney 169

Pikanter Bratling mit
Schafkäsecreme 64